Même le livre se transforme !
Faites défiler rapidement
les pages et regardez... ↓

Déjà parus dans la série

ANIMORPHS

1. L'invasion
2. Le visiteur
3. L'affrontement
4. Le message
5. Le prédateur
6. La capture
7. L'inconnu
8. L'extraterrestre
9. Le secret
10. L'androïde
11. L'oubli
12. La menace
13. La mutation

Pour en savoir plus,
rendez-vous à la p. 216

K. A. Applegate

L'ANDROÏDE

Traduit de l'américain
par Florence Meyeres

Les éditions Scholastic

Pour Erek King et tous les fidèles lecteurs,
et pour Michael

Données de catalogage avant publication (Canada)

Applegate, Katherine
L'androïde

(Animorphs; 10)
Publié aussi en anglais sous le titre : The android.
ISBN 0-439-00444-6

I. Meyeres, Florence. II. Titre. III. Collection.
PZ23.A6485An 1998 j813'.54 C98-931513-4

Édition publiée par Les éditions Scholastic, 175, Hillmount Road, Markham (Ontario) Canada L6C 1Z7.

4 3 2 1 Imprimé en France 8 9 / 9 0 1 2 3 4 / 0
N° d'impression : 43543

CHAPITRE 1

Mon nom est Marco.

Les gens m'appellent Marco le Magnifique. Le merveilleux Marco. L'incroyable Marco...

Et, pour les filles, je suis tout simplement... superbe. D'accord, en fait je n'ai jamais entendu personne prononcer le mot superbe en parlant de moi, mais je suis sûr que quelqu'un, quelque part, a déjà dû dire que je l'étais. Ou peut-être pas.

Mais mignon, oui ! J'ai déjà entendu de mes propres oreilles dire que j'étais mignon.

Et je sens que je n'ai pas fini de l'entendre, car il s'est passé quelque chose d'important me concernant : je me suis coupé les cheveux. Enfin, ma « styliste », Charise, m'a coupé les cheveux. C'est bien son nom, Charise. D'après elle, mon quotient de séduction est passé de neuf à la note la plus haute : dix.

Enfin, je m'égare, où en étais-je ? Ah, oui. Je vous disais que mon prénom est Marco. Je ne peux pas vous dire mon nom de famille. Je l'ai oublié.

Non, ce n'est pas vrai, je plaisante. Je connais mon nom de famille, simplement, je dois le garder secret. Et je ne vous dirai pas non plus celui de mes amis, ni où ils vivent.

Tout ce que je vais vous raconter est vrai. Tout, excepté le fait que je suis magnifique et merveilleux... Le reste sera la stricte vérité. Je sais que ça semblera incroyable, mais c'est la stricte vérité.

Laissez-moi vous expliquer pourquoi je ne peux pas vous dire mon nom de famille : j'ai des ennemis. Comme à peu près tout le monde. Mais les miens sont très puissants et terriblement dangereux. Pas comme le type de votre classe qui n'arrête pas de vous traiter d'avorton. Et s'ils connaissaient mon identité, je n'aurais même pas le temps de m'apercevoir qu'ils m'ont attrapé que je serais déjà mort. Les Yirks ne sont pas vraiment joueurs. La pitié et la gentillesse, ils s'en lavent les mains. Ils se fichent pas mal que je ne sois qu'un adolescent. Ils ont pour objectif de contrôler et d'anéantir la race humaine. Ils n'hésiteront pas à passer sur mon pauvre petit corps pour arriver à leurs fins.

Mais attention, les Yirks ne sont pas mes ennemis personnels. Ils sont les ennemis de tous les êtres humains existant sur cette planète. Les ennemis de la planète Terre. Et ils sont partout.

Ce sont des parasites. Pensez à des ténias. C'est ce qu'ils sont, des limaces dotées d'intelligence.

De grosses limaces de quelques centimètres de long. Ils pénètrent en vous par l'oreille. Une fois à l'intérieur, ils se fondent autour de votre cerveau, se glissent dans tous les replis de votre matière grise et deviennent les maîtres de vos pensées.

Ils vous tiennent en leur pouvoir. Ils font de vous ce que nous appelons un Contrôleur, une machine humaine, un corps dont l'esprit, brisé, n'a plus aucun pouvoir.

C'est précisément ça qui fait des Yirks des êtres aussi abjects : ils ne se contentent pas de contrôler votre esprit et de vous éliminer. Vous continuez à avoir conscience de tout ce qui se passe. Vous êtes là à contempler le Yirk qui fouille dans votre mémoire, à le voir tromper votre famille et vos amis, à voir les autres membres de son espèce transformer les gens que vous aimez en esclaves, tout comme vous.

Vous avez beau essayer de bouger votre main,

vous n'y arrivez pas. Vous essayez de prononcer une parole, mais vous n'y parvenez pas. Vous ne pouvez même pas contrôler votre regard. Voilà le sort qu'ils vous réservent.

Ma mère est l'un d'eux, c'est un Contrôleur.

Pendant longtemps, on a cru qu'elle était morte. Je pensais qu'elle s'était noyée. Mais plus tard, j'ai appris qu'elle était encore en vie.

Qu'un Yirk très puissant avait pris possession de son corps. J'ignore depuis combien de temps elle est devenue un Contrôleur. Je ne sais pas combien de ses baisers du soir étaient ceux d'un Yirk qui essayait de se faire passer pour un humain.

A présent, elle est devenue Vysserk Un. Les Vysserk sont des sortes de généraux, des seigneurs de la guerre. C'est Vysserk Un qui a lancé l'invasion secrète de la Terre. Et c'est Vysserk Trois qui a maintenant pris en charge l'opération. Vysserk Un, qui est dans la tête de ma mère, a fait croire qu'elle s'était noyée pour pouvoir fuir tranquillement. Elle est quelque part maintenant... peut-être à des millions de kilomètres d'ici.

Jake, mon meilleur ami, et moi sommes les seuls à savoir pour ma mère. Je préfère cacher ça aux autres ; je ne veux pas de leur pitié.

Les Yirks sont parmi nous. Ils sont partout. Ma mère n'est pas la seule. Peut-être que la vôtre aussi… ou que votre professeur… ou que votre meilleur ami… ou que tous ceux autour de vous… Lorsque vous êtes entourés de votre famille ou de vos amis, vous êtes peut-être bien le seul dans la pièce qui ne soit pas un Contrôleur.

C'est pourquoi nous les combattons, nous, les Animorphs.

Au fait, c'est moi qui ai inventé ce mot. Pas mal, non ? Animorphs… ça m'est venu tout seul… Animaux et métamorphose.

Il faut que vous sachiez que tous les extraterrestres ne sont pas des Yirks. L'univers aussi a ses héros. C'est un Andalite traqué et sur le point de mourir qui nous a donné le pouvoir de faire nôtre l'ADN de toutes les espèces animales, et ensuite de devenir l'animal que l'on veut.

Il s'appelait Elfangor. Il est mort, comme beaucoup d'autres Andalites, en essayant de sauver la Terre de l'invasion des Yirks.

C'est pour lui, et pour tous les autres habitants de la Terre, que nous nous battons, dans l'espoir de ralentir suffisamment l'avancée des Yirks pour que les

Andalites aient une chance de revenir à temps pour nous sauver.

Qui se cache sous ce « nous » ? Pour commencer, il y a moi, Marco le Magnifique. Et puis il y a aussi Rachel, qui se prend pour la princesse Xena, et Tobias, l'enfant-oiseau. Et Cassie, celle qui embrasse les arbres. Et pour finir Ax, notre Andalite personnel. Sans oublier notre chef valeureux, mon ami Jake. Jake, mon meilleur ami bien trop sérieux. Jake, cet adolescent responsable qui est presque un adulte. Jake, qui me tape sur les nerfs avec son refus de se payer du bon temps.

– Écoute, ce n'est pas un crime. Il n'y a pas de loi qui interdise aux chiens d'aller à un concert en plein air.

– Tu sais Marco, si on a le pouvoir de morphoser, ce n'est pas pour nous infiltrer dans des concerts, répondit Jake.

Nous étions dans une rue, pas loin de chez nous. On venait de faire quelques paniers sur un terrain de basket et Jake faisait rebondir le ballon tout en marchant.

– Alanis Morissette, Offspring, Bjork !

Jake s'arrêta net et me fixa droit dans les yeux.

– Marco ?

– Ouais !

– Qu'est-ce qui est arrivé à tes cheveux, mon gars ?

– Tu ne t'en aperçois que maintenant ? C'est cool, non ?

Jake continuait de me regarder fixement.

– Offspring, tu dis ? Tu es sûr qu'ils seront là ?

Je le sentais céder. Son ballon rebondissait plus lentement.

– J'ai entendu dire qu'ils étaient géniaux en concert. Ils cassent tout, ils écrasent tout sur leur passage, ils sont les maîtres, ils...

– Marco, j'ai fait des reproches à Rachel et à Cassie parce qu'elles avaient utilisé leur pouvoir de morphoser à des fins personnelles, et maintenant il m'est impossible de...

– Qui le leur dira ? fis-je en passant la main dans mes cheveux fraîchement coupés. Cette coupe était vraiment réussie. Peu m'importait la façon dont Jake regardait ma coiffure. Elle était vraiment cool !

– Ce serait hypocrite de ma part, estima-t-il.

Je réfléchis pendant quelques secondes.

– Tu sais, Jake, ça fait pas mal de temps que je me dis qu'Alanis Morissette pourrait bien être un Contrôleur. Alors pense aux dégâts qu'elle pourrait

faire en détournant du droit chemin des jeunes influençables comme nous ! Oh, cette pensée me fait horreur ! C'est notre devoir, Jake, nous avons pour devoir sacré d'aller à ce concert afin de nous assurer une fois pour toutes qu'aucune de ces mégastars n'est un Contrôleur.

Comme à son habitude, Jake se contenta d'esquisser un sourire.

– C'est vraiment l'excuse la plus bidon que tu aies jamais trouvée.

J'éclatai de rire.

– Tu rigoles, j'en ai trouvé de bien pires.

Nous étions presque arrivés devant chez lui. A ce moment-là nous avons marqué un arrêt. Tom, le frère de Jake, est un des leurs – un Contrôleur. Nous ne parlons jamais de ça quand nous sommes chez lui.

– Tu sais, reprit Jake, je ne pourrais t'accompagner que si j'étais sûr que, de toute façon, toi, tu irais. Alors, vois-tu, je serais « obligé » de t'accompagner, pour veiller sur toi.

Jake est peut-être bien un jeune responsable et tout le reste, mais il n'a pas l'esprit si vieux que ça.

Un large sourire illumina mon visage.

– Jake, que tu le veuilles ou non, j'irai à ce concert.

– Alors, je ferais mieux d'y aller aussi, pour te couvrir. Il faudra que tu trouves un moyen de cacher tes cheveux.

Je fis une grimace.

– Vraiment marrant.

– Je trouve oui, fit Jake, content de sa plaisanterie. Je crois bien que je vais morphoser en Homer. Tu as raison, il faut morphoser en chien. On passera inaperçus, il y a toujours des chiens qui traînent lors des réunions en plein air. Et ils ont une ouïe géniale. Il faut que tu acquières une animorphe de chien.

– C'est déjà fait, fis-je fièrement. J'ai choisi un setter irlandais. Les filles les adorent. Ah ! Ah ! Ah !

J'éclatai de mon rire « diabolique » et lançai un regard de connivence à Jake. Lui aussi se mit à rire.

Il y a des instants de votre vie qui semblent totalement anodins à première vue, pas vrai ? Des morceaux de vie ordinaires. Mais ensuite, c'est comme si vous étiez en train de descendre du haut d'une falaise et, avant que vous vous rendiez compte de quoi que ce soit, vous vous retrouviez en train de tomber. Tout à coup, vous vous rendez compte que votre décision, qui vous semblait sans conséquence, prend des proportions qui vous dépassent.

J'avais décidé de me faufiler subrepticement dans un concert, pas de découvrir l'un des plus grands secrets de l'histoire humaine, ni de devenir celui dont dépendrait le destin d'une espèce entière.

Moi, tout ce que je voulais, c'était écouter de la musique.

Pas de quoi en faire une montagne.

CHAPITRE 2

Morphoser pose quelques problèmes. Tout d'abord, il y a une limite de deux heures à respecter. Si vous dépassez ce temps, vous restez coincé dans l'animorphe pour toujours.

Ensuite, il y a le fait qu'avec le corps de l'animal, viennent aussi tous ses instincts. Quelquefois, entrer dans le cerveau de l'animal, ça donne l'impression de recevoir une décharge électrique.

Et pour finir, il y a le facteur peur. Je veux dire, le même genre de sueur froide que peut provoquer la lecture d'un livre de Stephen King.

Le concert avait lieu dans la grande arène à ciel ouvert qui se trouve à un bout du jardin public de la ville. Il nous fallait un endroit isolé pour morphoser, mais ce ne fut pas si facile à trouver. Il y avait des gens partout, par milliers. Des jeunes en T-shirt noir, des

ringards avec des petites lunettes de grand-mère et des dreadlocks, des escadrons de parents avec des bébés dans les bras qui essayaient d'avoir l'air branché avec leur Doc Martens, et des punks purs et durs avec des piercings sur tout le corps.

De l'autre côté du jardin, il y avait une petite rue avec des cafés, des restaurants et une librairie spécialisée dans l'écologie. Nous nous sommes dirigés vers les impasses qui se trouvaient derrière les restaurants. Nous avons enfin trouvé un cul-de-sac encombré par des bennes à ordures.

– Super, fit Jake à mi-voix, nous deux parmi les poubelles, ça vaut déjà le déplacement !

– Viens, mettons-nous au travail.

Je bouillais d'impatience : j'entendais un groupe de première partie qui faisait cracher les amplis.

– C'est la première fois que tu morphoses en chien, pas vrai ? demanda Jake.

– Oui.

Il sourit.

– Ne te laisse pas emporter par ta joie.

Je ne fis pas vraiment attention à ces mots. En tournant la tête, je vis deux hippies qui passaient par là. Elles ne pouvaient pas nous voir. Je me déshabillai et me retrouvai en tenue d'animorphe. Je fourrai mes affaires et mes chaussures dans le sac que Jake et moi avions apporté, puis je le glissai derrière une benne.

Je me concentrai sur le chien dont j'avais acquis l'ADN. Je le vis dans ma tête. Tout en faisant cela, je sentais la transformation s'opérer.

J'ai morphosé en animaux bien plus étranges que les chiens. Mais chaque animorphe est étrange. Chaque transformation contient sa part d'imprévisible. On ne sait absolument pas comment ça va se passer.

Je croyais que le premier changement serait le pelage. Pas du tout. Ce fut la queue qui apparut tout d'abord. Ce fut comme si elle jaillissait du bas de ma colonne vertébrale.

Je me suis tourné pour regarder par-dessus mon épaule.

– Oh, nom d'un chien...

La queue dépassait bien, mais elle n'avait pas encore de poils. On aurait dit une sorte de fouet grisâtre en peau de poulet.

Je me retournai de nouveau et jetai un œil à Jake. Son visage était boursouflé, comme si quelque chose essayait de sortir par sa bouche. Au même moment, mon museau se mit à croître. Il y eut un grincement

étrange à l'intérieur de ma tête quand les os de ma mâchoire se sont mis à s'étirer.

Je ressentis comme une démangeaison dans la bouche lorsque mes dents ont commencé à grandir et à se réorganiser.

Je vis mes doigts entrer à l'intérieur de mes mains. Au même moment, les moignons qui avaient remplacé les doigts se recouvrirent d'ongles gris-noir. Mes paumes devinrent épaisses et calleuses.

Je sentis les os de mes jambes et de mes bras se modifier et je me mis à rapetisser légèrement. Soudain, je ne fus plus capable de rester debout. Je tombai en avant sur mes coussinets calleux.

C'est alors seulement que les poils commencèrent à apparaître. Et je me sentis soulagé. Je n'étais qu'un animal très laid sans ça. Le pelage roux sortit à toute vitesse, comme l'herbe la plus rapide du monde. On aurait dit qu'il explosait sous ma peau, long et soyeux.

< Génial, fis-je à Jake en utilisant la parole mentale. Regarde-moi ce poil. Toutes les filles qui sont au concert vont vouloir me câliner. >

Il me répondit quelque chose mais, à cet instant précis, les sens du chien firent irruption.

J'ai déjà morphosé en loup, alors je ne fus pas très

surpris. Je savais que l'ouïe serait étonnante. Je savais que l'odorat serait incroyable. Mais je n'avais pas idée de ce que serait l'esprit du chien. Rien à voir avec celui du loup. Le loup est un tueur impitoyable, fin et calme. Le chien n'est qu'un gros pataud.

Vous vous souvenez de la chanson qui dit « Faut rigoler » ? Ce pourrait être l'hymne de la race canine. Les chiens ne cherchent qu'à s'amuser.

C'est ce qui m'a trompé : l'esprit du setter ne semblait pas être celui d'un animal inconnu. Je le sentais se fondre gentiment dans mon propre esprit. Il s'accordait parfaitement avec la partie fantaisiste de mon cerveau. Je jetai un regard vers Jake de mes yeux un peu diminués. Il était devenu Homer, son chien. Je laissai pendre ma langue et me mit à remuer la queue. Pour toute réponse, Jake-Homer fit de même.

– Waouf ! aboyai-je sans raison.

J'exécutai une petite danse, comme si j'aillais m'enfuir à toutes pattes, mais je m'arrêtai de manière soudaine, repliai mes pattes avant et lançai un sourire idiot à Jake.

Je l'invitais à se joindre à mon petit jeu.

Je me précipitai hors de l'impasse.

< Marco, attends ! >

< Viens m'attraper ! Ah ah ah ! Tu n'y arriveras jamais ! >

Je m'éloignai à toute vitesse, raclant le sol avec mes griffes qui résonnaient sur le béton, les oreilles pendantes au vent, la queue en l'air se balançant de droite à gauche.

Je sortis de l'impasse à toute allure, sans prêter attention aux odeurs fortes et merveilleuses des ordures en train de pourrir.

Je pris la direction du parc et traversai la rue à toute vitesse. Jake, coincé au milieu d'un petit groupe de gens, resta en arrière.

Scrrrrrriiiiiiiii !

Une voiture freina brusquement et m'évita de justesse. En fait, si le conducteur avait attendu un millième de seconde de plus avant d'appuyer sur la pédale de frein, j'aurais été une victime de la route. Mais, bien qu'ayant frôlé la mort, mon cerveau de chien se contenta de réagir en se disant : « Génial ! Je sens quelque chose ! »

Je suis tout à fait sérieux. Le fait de humer de l'urine sur le rebord d'un trottoir avait dix fois plus d'importance pour mon cerveau de setter que le crissement des roues d'une voiture.

Le conducteur sortit et se mit à hurler. Je lui répondis par un sourire de chien satisfait et poursuivi mon chemin au petit trot.

< Marco, tu veux bien attendre ? >

Tout à coup, je me suis retrouvé au milieu de la foule. Mais ces gens ne ressemblaient pas à ceux que j'avais vus quand j'étais encore un humain.

Pour tout dire, je ne les voyais pas vraiment, je les sentais. Leur apparence n'avait pas la moindre importance, mais leur odeur !

Je sentais la sueur, je sentais le shampoing, je sentais la mauvaise haleine, je sentais ce qu'ils avaient mangé, je sentais ce dans quoi ils avaient marché, je sentais la lessive, je sentais tous ceux avec qui ils avaient parlé ou à qui ils avaient serré la main.

Et aussi, je sentais l'odeur de leurs animaux de compagnie. Ils auraient pu tout aussi bien porter d'énormes signaux lumineux sur lesquels aurait été inscrit : « J'AI UN CHIEN » ou « J'AI DES CHATS ». Non seulement je pouvais repérer les propriétaires de chiens, mais je pouvais aussi savoir par l'odeur s'il s'agissait de mâles ou de femelles et s'ils étaient jeunes ou vieux. Il me suffisait de renifler les passants pour savoir si leur chien mangeait de la nourriture en boîte ou des croquettes.

Lorsqu'on se retrouve avec ce nez de chien, c'est comme si on s'était baladé toute sa vie avec du coton dans les narines et que, tout à coup, on vous le retirait. Quelle sensation ! Vous voyez la vie d'une manière entièrement nouvelle.

J'avais déjà été un loup dans une forêt. A présent, c'était comme si j'étais un loup au milieu d'une foule. Les informations qui parvenaient à mes narines étaient si complexes, si complètes, si riches et si agréables !

– Hé, le chien ! appela quelqu'un.

Une fille ! J'étais sûr que c'était une fille. Mais est-ce qu'elle était mignonne ? J'essayai d'affiner ma vision, mais c'était comme si la vue n'avait aucun intérêt. J'aurais pu assez bien voir, mais mon cerveau de chien était bien trop préoccupé à sentir et à écouter. Je remarquai néanmoins un parfum d'essence de patchouli.

La fille tendit le bras et caressa ma tête. Instantanément, un frisson de plaisir me parcourut. Ensuite, elle se mit à me gratouiller derrière les oreilles.

C'était vraiment trop bon. C'était sublime. C'était sans doute ce que j'avais ressenti de meilleur de toute ma vie.

Je crois que j'aurais pu rester là et la laisser me

gratter derrière l'oreille jusqu'à la fin des temps. Puis un gars la rejoignit – un gars qui possédait un chat, soit dit en passant – et elle se mit à me caresser le flanc. Je me couchai par terre, sur le côté. Ses caresses me chatouillaient. J'étais si heureux ! J'étais au-delà du bonheur.

Voyez-vous, le bonheur des chiens n'a rien à voir avec celui des humains. Pour les humains, il y a toujours une petite voix qui vous souffle : «Ne te réjouis pas trop, reste sur tes gardes, il se pourrait bien que ça ne dure pas.»

Mais le bonheur du chien est de la pure essence. Je me contentai de sortir ma langue et de remuer la queue dans l'herbe. C'est alors que ça a commencé : mes pattes se sont mises à remuer toutes seules.

– Hi ! hi ! j'adore quand les chiens font ça, c'est vraiment rigolo, remarqua le gars.

Sa petite amie fit descendre ses mains le long de mes côtes et ma patte arrière continua de brasser l'air, de manière incontrôlée. Je me serais cru au paradis.

C'est dans cette position que Jake me trouva.

< Très beau spectacle, Marco. Et si digne. C'est quoi la prochaine étape ? Tu vas te mettre à te lécher ? >

– Oh ! un autre chien, s'exclama la fille, et il est encore plus mignon.

Elle se pencha pour caresser Jake. Ces mots eurent l'effet d'une douche froide. Jake n'était en aucun cas plus mignon que moi.

< C'est bon, on s'est assez amusés. Viens, Jake, approchons-nous de la scène. >

Nous nous sommes éloignés en remuant la queue, laissant le gentil couple de hippies derrière nous.

< Tu vois Marco, je t'avais prévenu : ne te laisse pas emporter par ta joie. Un chien heureux est presque trop heureux. >

< Et alors ? répondis-je en voulant faire le malin, qu'est-ce qu'il y a de mal à ça ? >

A cet instant précis, quelque chose d'hallucinant se passa. Ça faisait quelques minutes que la musique s'était tue et, tout à coup, Offspring grimpa sur scène et lâcha les décibels. Ils commencèrent à jouer une chanson et je fis un pas en arrière. L'effet sur mes oreilles était impressionnant. Et pas seulement à cause du niveau sonore, mais parce que j'entendais tout, vraiment tout.

< Hé, je comprends les paroles maintenant ! >

< Super >, ironisa Jake.

Nous nous sommes approchés encore plus près, nous enfonçant dans une foule d'humains de plus en plus dense. Les odeurs étaient vraiment incroyables, et pas toujours des plus agréables.

Soudain, je le vis. Il distribuait des prospectus. Il avançait dans la foule et tendait des petites feuilles de papier.

La brise fit voler l'une d'elles qui tomba doucement devant moi. Je forçai mes yeux de chien à la déchiffrer. Il m'était impossible de lire ce qui était imprimé en petit, mais je pus lire les deux mots écrits en gras en haut de la feuille : « Le Partage ». L'organisation derrière laquelle se cachaient les Contrôleurs !

< Jake, le gars là-bas, il est en train de distribuer des prospectus pour le Partage. >

< Oui. Et tu sais quoi ? A moins que mon imagination ne me joue des tours, sa tête me dit quelque chose ! >

Il avait des cheveux châtain qui lui tombaient un peu sur les oreilles. Il mesurait peut-être un mètre soixante, mais il donnait l'impression d'être plus grand. Un double de Jake, en un peu plus petit, qui semblait fort et sûr de lui.

< Oui, on le connaît. Il s'appelle Erek King. Et il a quitté le collège il y a à peu près un an. >

Erek se rapprochait de nous, le sourire aux lèvres, proposant ses prospectus à tous ceux qui semblaient intéressés.

Il s'agenouilla et me sourit. Il tendit la main pour me caresser, mais j'eus un mouvement de recul. Erek haussa les épaules et poursuivit son chemin, toujours occupé à distribuer ses papiers.

< Jake, tu as remarqué toi aussi ? >

< Oh oui, sans problème. >

< Bon Dieu, il y a vraiment quelque chose de très bizarre chez Erek. >

CHAPITRE 3

– Il ne sentait rien, fis-je.

– Qu'est-ce que ça veut dire, il ne sentait rien ? s'étonna Rachel.

– Ça veut dire qu'il n'avait pas d'odeur. Il y avait des odeurs sur lui qui provenaient d'autres personnes, qui venaient du sol, des chiens, et j'en passe, mais il n'avait pas d'odeur à lui. Aucune. Le vide sidéral. Comme s'il n'existait pas.

C'était un peu plus tard, le même soir. Jake et moi avions quitté le concert peu de temps après notre rencontre avec Erek. Nous avions ensuite organisé une réunion et, à présent, nous étions tous, à l'exception d'Ax, dans la grange de Cassie. Cette grange abrite le Centre de sauvegarde de la vie sauvage. C'est une sorte d'hôpital pour les animaux. Les parents de Cassie sont tous les deux vétérinaires. Sa mère travaille

au Parc, qui est un mélange de zoo et de parc d'attraction. Son père, avec l'aide de sa fille, recueille tous les animaux blessés ou malades qu'il rencontre. Dans la grange, il y a des cages dans lesquelles sont enfermés des ratons laveurs, des renards, des opossums, des aigles, des lapins, des oies, des blaireaux, des corneilles, des écureuils... tous les animaux possibles et imaginables... une véritable arche de Noé.

– Peut-être que tu n'as simplement pas fait attention, suggéra Rachel.

– Rachel, tu as déjà morphosé en loup, dit Jake, et tu connais la qualité de son odorat, non ? Eh bien, celui du chien est presque aussi bon.

Rachel secoua la tête. Elle fait ça chaque fois qu'on ne lui donne pas raison.

Elle se tenait au beau milieu de la grange, impeccable des pieds à la tête, comme toujours. Rachel ressemble à ces filles qui font la couverture de *Jeune et jolie* : elle est belle, très à la mode, beaucoup trop grande, avec des dents trop blanches et trop nombreuses et des flots de cheveux blonds qui sentent bon le shampoing. Mais sous ces vêtements à la mode et ce maquillage impeccable se cache une Amazone toujours prête à partir au combat.

Rachel ressemble à l'une de ces petites créatures merveilleuses, belles et dangereuses, tout droit sorties du livre de Tolkien, *Le Seigneur des anneaux*.

Jake est le cousin de Rachel, et Cassie est sa meilleure amie. Cassie, elle, éprouve les émotions qu'on rencontre chez tout être humain comme la peur et le doute. Je me sens de tout cœur avec elle, parce que moi aussi je connais bien la peur et le doute. Je les ai éprouvés plus de fois depuis que je suis devenu un Animorphs que n'importe quel autre être humain qui aurait vécu dix vies.

Cassie n'a jamais trouvé une robe à son goût. Elle ne lit pas *Jeune et jolie*, ni *Vingt Ans*. Il est plus probable qu'elle achète *Trente Millions d'amis*. Vous savez, ces magazines où l'on trouve des articles du genre : « Comment donner des suppositoires aux ratons laveurs », ou encore : « Comment analyser les déjections d'une chouette ».

Pour vous la représenter, pensez à une fille assez petite et jolie, avec des cheveux noirs coupés très court, qui porte une salopette et des bottes boueuses, et qui semble tout à fait capable de faire une piqûre antitétanique à un ours en colère.

Cassie est notre expert en matière d'animaux et la

dingue d'écologie de notre petit groupe. Je dirais même qu'elle préfère les animaux aux humains, à part qu'elle aime vraiment bien Jake. Et je pèse mes mots.

En fait, ils sont attirés l'un par l'autre, bien que, naturellement, aucun d'eux ne veuille l'admettre. Ils ne le montrent jamais, à part quand ils sont sur le point de faire quelque chose d'hyperdangereux. Dans ces moments-là, ils se jettent des regards tristes à vous fendre l'âme. C'est pathétique.

Le dernier membre de notre groupe était perché sur les poutres hautes, au-dessus de nos têtes. Tobias avait profondément enfoncé ses serres dans le bois pour être bien stable. De son bec crochu, il lissait les plumes de son aile droite.

Tobias est un faucon à queue rousse. C'est ce qu'il est devenu depuis qu'il est resté trop longtemps dans cette animorphe. A présent, il vit la plupart du temps comme un faucon. Ce que je veux dire par là, c'est qu'il chasse et se nourrit comme un faucon. Il n'a d'ailleurs pas vraiment le choix. Je doute que le collège soit intéressé par un élève-oiseau.

Tobias vit dans les bois, avec Ax. Ax est un Andalite, le frère d'Elfangor, et le seul Andalite libre dans un périmètre de plusieurs milliards de kilomètres autour de la

Terre. Ax n'a pas pour habitude de venir à nos réunions. Il possède une animorphe humaine, mais il ne veut pas en abuser. En plus, il se figure que Jake est son « prince », et il fait tout ce que son prince lui dit de faire.

Voilà donc notre petit groupe : Rachel, debout au milieu de la pièce comme si elle avait un projecteur braqué sur elle ; Jake, toujours trop sérieux, occupé à faire les cent pas ; Cassie, un canard dans les bras en train de lui changer son pansement, et Tobias, lissant ses plumes et regardant autour de lui avec son éternel regard de faucon. Et puis moi, bien sûr, étendu paresseusement sur un tas de paille.

– Chut ! fit soudain Jake, je crois bien avoir entendu quelque chose.

< Ce n'est qu'un écureuil sur le toit >, nous prévint Tobias en parole mentale.

– Tu en es sûr ? insista Jake.

Tobias arrêta de lisser ses plumes et baissa les yeux en direction de Jake. Son regard de rapace se fit encore plus profond.

< Est-ce que j'en suis sûr ? Je *sais* reconnaître un écureuil quand j'en entends un. >

Jake, légèrement embêté, approuva d'un signe de tête. Les faucons ont une vue excellente, certes, mais

ils ont aussi une ouïe largement supérieure à celle des humains. Et Tobias sait identifier les sons produits par ses proies. Il le faut bien. Demander à Tobias s'il sait identifier un écureuil d'après le bruit qu'il fait, c'est comme demander à Einstein combien font deux et deux. Je tentai de revenir au sujet qui nous préoccupait tous.

– Alors, ça veut dire quoi, quand un mec ne sent pas comme un humain ?

– Ça arrive souvent de ne pas sentir comme un humain, ironisa Rachel avec un petit rire supérieur, notamment quand on a passé trop de temps chez le coiffeur.

Un léger grognement sortit de la bouche de Cassie, comme si elle réprimait un rire.

– La prochaine fois que tu décides de te faire couper les cheveux, demande-moi conseil avant, poursuivit Rachel.

Je les ai toutes deux ignorées. Nous avions du travail devant nous, et je n'allais pas m'abaisser à échanger des insultes avec Rachel. Et, pour tout dire, je n'avais pas d'inspiration.

– Il n'a pas d'odeur et, en plus, il distribue des prospectus pour le Partage, insistai-je.

– Il doit être en contact avec les Yirks, fit Rachel en haussant les épaules.

– Mais de quelle manière ? demanda Cassie.

Elle était occupée à remettre le canard dans sa cage.

– Ce que je veux dire par là, c'est que les Yirks infestent des espèces différentes comme les humains, les Hork-Bajirs ou les Taxxons. Mais il n'empêche qu'un humain, même avec un Yirk à l'intérieur de sa tête, devrait continuer à sentir comme un humain. Pas vrai ?

– Chapman est un Contrôleur. Et il sent comme un humain, soulignai-je. Oh non, je n'arrive pas à croire que je sois en train de parler de l'odeur du directeur du collège !

Jake haussa les épaules.

– Je pense qu'il faut qu'on découvre ce qu'il se passe avec Erek.

– Mais comment faire ? En infiltrant l'une des réunions du Partage ?

< Je pourrais surveiller son école >, proposa Tobias.

– Ou peut-être que nous pourrions retourner à l'endroit où le concert a eu lieu et essayer de trouver des indices ? proposa Rachel à son tour.

Elle fit une grimace avant d'ajouter :

– Ouh là là, je me prends vraiment pour Jessica Fletcher !

– Ax pourrait peut-être se connecter sur internet et tenter de le localiser, ai-je suggéré.

Cassie leva le doigt comme pour poser une question à l'école.

– C'est bien beau tout ça, mais si on essayait tout simplement l'annuaire du téléphone ?

Nous l'avons tous regardée, éberlués.

– Effectivement, on pourrait aussi regarder dans l'annuaire, approuva Jake sur un ton embarrassé.

Cassie se dirigea vers la maison pour aller le chercher.

– Son problème, voyez-vous, c'est qu'elle n'entre pas dans notre trip superhéros. Est-ce que Superman cherche des renseignements dans l'annuaire ? Ou bien Spiderman ?

– Mais Superman a un gros avantage sur nous, répliqua sèchement Rachel, il n'existe pas.

Elle claqua des doigts et reprit :

– Oui, c'est ça, tes cheveux me font penser à Spiderman. Je savais bien que ça me rappelait quelque chose.

– Ah oui, répliquai-je, et toi, tu as vu ta... ta...

– Ma quoi ? demanda-t-elle froidement, avec l'aplomb d'une fille qui sait qu'on ne peut rien lui reprocher sur son physique.

– Ta taille, fis-je faiblement, on dirait une girafe.

Je ne sais pas pourquoi, mais à cette brillante réplique, elle ne fondit pas en larmes.

Cassie reparut, avec les pages blanches déjà ouvertes à la lettre K.

– Il y a vingt-sept King répertoriés. Mais vous avez dit qu'il est maintenant inscrit au collège Truman, et il y a six King qui habitent dans le coin.

– Il faut aller vérifier toutes les adresses, dis-je, mais il se peut aussi qu'il soit sur liste rouge.

– Je ne peux pas sortir ce soir, prévint Jake, j'ai un devoir d'anglais à faire.

– J'ai un bon truc pour ton devoir, plaisantai-je, ne le rédige pas en français.

– Je pourrais y aller demain, annonça Rachel, mais pas ce soir. Mon père est en ville pour la soirée. Il nous emmène, mes sœurs et moi, au Planet Hollywood.

Cassie me regarda.

– Moi, je n'ai rien de prévu.

< Je peux vous aider tant qu'il fait jour >, fit Tobias en offrant ses services.

Les faucons ne peuvent pas faire grand-chose la nuit.

– Très bien. Cassie, Tobias et moi, on va s'y mettre jusqu'à la tombée de la nuit. Ça ne devrait pas poser trop de problèmes. Voici notre mission : retrouver le type qui n'a pas d'odeur.

– Peut-être que c'est seulement parce qu'il prend beaucoup de douches, suggéra Rachel, vous y avez pensé ?

CHAPITRE 4

Le lendemain, je rencontrai Jake à la cafétéria.

J'étais en train d'avaler une soupe ignoble accompagnée d'un verre de lait, tout en essayant de rédiger mon devoir d'anglais en quatrième vitesse. C'est que, moi aussi, il fallait que je le rende. Mais j'avais passé la soirée de la veille à voler en animorphe de chouette à la recherche de la maison d'Erek.

– C'est ton devoir d'anglais ? demanda Jake en s'asseyant en face de moi.

– Ouais.

Il se mit à rire.

– Tu me fais du bien, Marco. J'ai l'impression d'être si sérieux comparé à toi. Tu as trouvé un sujet ?

Je le regardai et pointai mon doigt sur mon devoir.

– J'ai déjà écrit trois pages, et tu me demandes si j'ai un sujet ?

Mais Jake me connaît par cœur.

– Alors, est-ce que tu as un sujet, oui ou non ?

– Euh... ça va venir. Je vais continuer à écrire jusqu'à ce que j'en trouve un. Il sortira de ces pages. Ce sera comme une révélation. Il suffit que je continue à écrire.

Il approuva de la tête et fit une grimace en voyant le liquide gluant dans le bol sur son plateau.

– La bouffe est bleue. Elle ne devrait pas être bleue. Hé, voilà un bon sujet pour toi : comment écrire pour ne rien dire.

Je répondis avec un sourire grimaçant :

– Ça me connaît. Je suis passé maître dans l'art de raconter des bêtises. J'ai écrit trois pages jusqu'ici et, en fait, je n'ai rien dit du tout.

– Et alors, auriez-vous localisé notre ami, par hasard ?

Je lançai un regard à droite et à gauche. Personne alentour pour nous entendre. En plus, il y avait un tel boucan dans la cafétéria entre les cris et les rires, les assiettes qu'on cognait et les chaises qu'on tirait, qu'on n'entendait pas grand-chose.

– Ouais, on a trouvé où il habitait. On l'a même aperçu par une fenêtre. C'est dommage d'ailleurs, car dans une autre maison où habitaient des King, il y avait une de ces nanas…

– Tu n'as pas joué les voyeurs, j'espère.

Je lançai à Jake un regard de vierge offensée.

– Comment peux-tu dire ça ? Tu me prends pour qui ?

Jake fit un petit signe de la tête.

– Cassie ne t'a pas laissé faire, pas vrai ?

– J'essaie de travailler, tu ne vois pas ?

– Et le sujet est… ?

– Le sujet, c'est : « Comment écrire mille mots et ne rien dire ». Rien. Le vide sidéral.

Jake baissa sa voix qui devint presque un murmure :

– Il faut se renseigner sur cet Erek. Je suis sûr qu'il y a quelque chose de bizarre là-dessous.

Je posai mon crayon.

– Tu veux dire pénétrer chez lui ?

– Pas tout de suite. Tobias pourrait le surveiller quand il sort. Mais il aura besoin d'aide.

Je haussai les épaules et retournai à mon devoir.

– Je l'aiderai, j'ai plein de temps libre. J'arrête l'école cet après-midi, juste après que la prof aura fini de rigoler en lisant mon devoir.

– Sujet : « De l'usage de la rhétorique pour masquer le manque de contenu », fit Jake.

J'arrêtai tout et levai les yeux.

– C'est génial ! Ça veut dire la même chose que « Écrire pour ne rien dire »... mais ça sonne beaucoup mieux.

– Je te laisse finir ta soupe, il faut que j'y aille.

Il se leva et je le vis se diriger vers l'endroit où Cassie était assise.

C'est l'une de nos règles : il ne faut pas que nous ayons l'air d'une bande de copains. A l'école ou en public, nous gardons nos distances. Nous ne laissons voir que les amitiés qui existaient avant que nous ne devenions des Animorphs.

Je vis par hasard Chapman qui passait la porte de la cafétéria. Il agrippa un garçon qui courait et lui ordonna de ralentir. Puis il parcourut la salle du regard, à la recherche des fauteurs de trouble, comme le ferait tout principal.

Mais il n'est pas comme les autres. C'est un Contrôleur. Le Yirk à l'intérieur de sa tête est d'un rang assez élevé pour s'entretenir directement avec Vysserk Trois.

Pendant une petite seconde, les yeux de Chapman se fixèrent sur moi. Ça n'était rien, mais un tremblement me parcourut l'échine.

Chapman est à la tête du Partage. Les prospectus qu'Erek distribuait au concert concernaient cette organisation.

Erek n'avait jamais été un ami très proche. Juste un gars à qui je disais bonjour dans les couloirs. Sauf qu'il était venu à l'enterrement de ma mère.

Une cérémonie sans corps.

D'autres filles et garçons de l'école étaient venus, si bien que sa présence n'avait pas attiré mon attention. Mais c'était quand même chouette de sa part d'être là.

Et maintenant, il travaillait pour le Partage.

Le Partage est une couverture pour les Contrôleurs. A première vue, c'est une sorte de club. Les jeunes qui y adhèrent vont en camp ou font des sorties, des trucs comme ça. Les adultes aussi peuvent adhérer. Ils font soi-disant des affaires ensemble et partent en week-end au ski. Et il se peut bien que la plupart des membres du Partage ignorent de quoi il retourne véritablement. Mais les Contrôleurs qui dirigent le Partage sont toujours à l'affût des personnes qui ont des problèmes.

Car, voyez-vous, les Yirks ne se contentent pas d'étendre leur influence de force. Beaucoup de gens deviennent des Contrôleurs de leur propre gré. Je pense qu'ils ont besoin de sentir qu'ils font partie de quelque chose de puissant. Ou peut-être que c'est le secret qu'ils apprécient. Je n'en sais rien. Tout ce que je sais, c'est que les Yirks préfèrent les hôtes volontaires. Ils préfèrent que vous leur offriez votre esprit plutôt que d'y pénétrer de force.

Ils vous manipulent petit à petit à travers les différents réseaux du Partage, jusqu'à ce qu'ils estiment que vous êtes prêt. Alors, ils vous font des promesses et vous racontent des bobards, et zou ! vous vous retrouvez esclave à l'intérieur de votre propre tête, d'autant plus facilement manipulé que vous n'avez pas opposé de résistance.

Je poussai mon plateau sur le côté et repris mon crayon. Je regardai ma feuille de papier fixement. Mais ce que je voyais, c'était la cérémonie funèbre, les chants, les fleurs, un prêtre qui disait quel être exceptionnel ma mère avait été. Il ne l'avait même pas connue. Je me rappelle m'être retourné sur mon banc pour regarder dans l'église. Beaucoup de gens s'étaient déplacés. Il y avait beaucoup de visages tristes, beaucoup de larmes. Et beaucoup de personnes qui se contentaient d'un air solennel parce que c'est comme ça qu'il faut être à un enterrement.

Erek était trois rangs derrière moi. Il portait un costume qui le démangeait sûrement et dans lequel il se sentait mal à l'aise. Mais il n'avait pas l'air grave ; il avait l'air en colère. Il secouait la tête doucement, d'une manière à peine visible, de droite à gauche, comme si, inconsciemment, il désapprouvait chacune des paroles prononcées par le prêtre.

A l'époque, je m'étais dit qu'il était en colère à cause des vêtements qu'il devait porter. Je pouvais sans problèmes comprendre ça.

Et maintenant, Erek réapparaissait. Un garçon qui n'avait pas d'odeur humaine. Un garçon qui travaillait pour le Partage.

– Eh bien Erek, fis-je entre mes dents, on va s'occuper de toi. On ne va pas laisser passer ça.

CHAPITRE 5

Il existe peut-être dans ce monde quelque chose de plus génial que de voler avec ses propres ailes, mais j'ignore ce que ça pourrait bien être.

Le roller-blade ? Ha ! ha ! Le surf ? Ça m'étonnerait. Le saut en parachute ? On s'en approche, mais on est encore loin du compte…

Rien n'est aussi génial que de voler.

C'était le même jour, après les cours. J'avais terminé mon devoir d'anglais exactement neuf secondes avant que la prof ne vienne pour le ramasser. Ensuite, j'étais allé en cours d'histoire et on m'avait donné un autre devoir à faire. C'est toujours comme ça à l'école ; on n'en sort jamais.

Mais finalement, la sonnerie avait retenti et… à moi la liberté ! J'étais dehors à la recherche d'un endroit isolé pour morphoser. Je voulais surveiller Erek. Tous ces souvenirs de l'enterrement de ma mère avaient rendu cette surveillance plus importante encore, bien que je ne sache pas vraiment pourquoi.

Je grimpai sur le toit du gymnase. Naturellement, personne n'est censé monter là-haut, mais c'était pour la bonne cause. J'ai morphosé en balbuzard. C'est un oiseau, une sorte d'aigle qui vit habituellement près des points d'eau.

J'ai déployé mes larges ailes et me suis éloigné du collège. Osez prétendre qu'il ne vous est jamais arrivé de vous retrouver dans un cours ennuyeux à mourir à écouter un prof répéter sans fin la façon dont x équivaut à y, mais seulement si vous le multipliez par π, et souhaiter alors pouvoir vous envoler par la fenêtre, et d'un coup d'aile, tchao !

Bon, je ne peux pas m'envoler par la fenêtre de la classe car si je morphosais en cours, il y aurait des cris et des crises d'hystérie. Mais je peux presque le faire.

Les élèves en étaient encore à s'empiler dans les bus quand j'attrapai un vent contraire et l'utilisai pour rester en suspension. Je pris rapidement de l'altitude, et me retrouvai au-dessus des élèves qui marchaient vers leur bus et des profs vers leur voiture. Pour moi, les gens n'étaient plus que des ovales de cheveux noirs, bruns, blonds ou roux. C'est à ça que ressemble en gros un être humain vu de trente mètres de hauteur, un ovale de cheveux.

Je ne me suis jamais senti aussi bien que lorsque je morphose en aigle. Vu comme ça, le sort de Tobias n'est pas si terrible. Il aurait pu tomber plus mal.

Je sentis un thermique, un courant d'air chaud, s'engouffrer sous mes ailes et je me laissai porter. Et hop ! c'est comme prendre l'ascenseur pour le dernier étage ! Plus haut, encore plus haut ! Les courants chauds m'emmenaient toujours plus haut.

< Ouaahhh ! >

A présent, les ovales de cheveux n'étaient plus que des points et les bus ressemblaient à des jouets jaunes qui s'éloignaient du collège à faible allure.

Mais même à plus de cent cinquante mètres, comme du haut d'un immeuble de cinquante étages, je pouvais encore discerner les visages derrière les vitres des bus. Avoir des yeux de balbuzard, c'est avoir des jumelles à la place des orbites.

Je me laissai porter, les ailes grandes ouvertes, la queue déployée en éventail pour attraper les courants ascensionnels et les serres bien rangées le long de mon corps. L'air fouettait le bout de mes ailes, faisant un petit bruit sec. Le vent coulait le long de ma tête fuselée et je gardai mon bec crochu pointé en avant pour conserver toute ma vitesse.

Je laissai le thermique m'emmener aussi haut que possible. Je tenais ce truc de Tobias. Le thermique, voyez-vous, vous permet de prendre de l'altitude en ne faisant pratiquement aucun effort, et vous pouvez ensuite vous en servir pour aller où vous voulez : c'est comme monter jusqu'en haut d'une montagne, puis de dévaler la pente à ski dans la direction que vous avez choisie.

Il fallut quand même que je batte pas mal des ailes pour atteindre le quartier où vivait Erek.

Je repérai Tobias de très loin, alors qu'il aurait été invisible à tout œil humain. Il se laissait porter par les vents, tout comme moi. Il faisait peut-être ça avec un peu plus de classe, mais c'était parce qu'il avait beaucoup plus d'expérience.

Lorsque je me fus approché assez près pour pouvoir utiliser la parole mentale, je l'appelai :

< Tobias, tu m'entends ? >

< Je t'entends et je te vois, Marco. Ça fait vingt minutes que je t'observe. >

< Je ne te crois pas. Je viens juste de te repérer. >

< Tu dois apprendre à observer, Marco... Ah, au fait, je vais compter jusqu'à trois, et là il faudra que tu vires à gauche et à toute vitesse. >

< Virer à gauche ? Pourquoi ? >

< Vas-y, vite ! Un. Deux. Trois ! >

Je levai une aile et abaissai l'autre, fis obliquer ma queue et, tout à coup, je pris un virage serré sur la gauche.

Vrraaaoumm !

Un missile passa devant moi. On aurait dit qu'il faisait du mille à l'heure ! Seulement, il n'avait pas été lancé depuis le sol, il avait dégringolé du ciel ! Et ce missile-là avait des ailes grises.

Le courant d'air provoqué par son passage me déstabilisa presque. Il était déjà à cinq cents mètres de distance, plus bas que moi et se dirigeant vers le sud, avant que je puisse même reprendre mes esprits.

Je vis des ailes gris ardoise ramenées en arrière et une queue bien tendue. Il s'éloignait de moi à une vitesse telle que j'avais l'impression de faire du sur-place.

< Qu'est-ce... Qu'est-ce que c'était ?! > hurlai-je.

< Ah ! ah ! ah ! Bienvenue dans mon monde, fit

Tobias. C'était un faucon pèlerin. Tu sais, l'animorphe de Jake. D'habitude, ils préfèrent assommer un pigeon bien gras ou un canard, à l'occasion. C'est sûrement ta manière de voler, il a dû croire que tu étais un gros canard vieux et maladroit. >

< Bouhh ! Qu'est-ce que j'ai bien pu faire pour le mettre en colère ? >

< Bats des ailes, conseilla Tobias. Il t'a manqué, pas vrai ? Je connais le volatile. Il n'est pas aussi bon qu'il le croit. Il s'en est pris à moi une fois. Il doit être affamé. >

Tout à coup, voler ne me semblait plus si délirant.

< Ouais, oublions ça. Ça devrait être facile de battre des ailes, vu que je vais continuer à trembler pendant au moins une heure. >

< Eh oui, voler ne se résume pas seulement à prendre les courants ascendants… remarqua Tobias sèchement. Allez viens, tu veux voir notre type, Erek ? >

Je me rapprochai de Tobias. Beaucoup plus près. Le monde des airs était son univers à lui, et il savait ce qu'il faisait.

< Ah, au fait, merci. >

< Rappelle-toi de toujours regarder au-dessus de toi, conseilla Tobias, le danger vient habituellement

du dessus. Mais, changeons de sujet… c'est Erek là-bas. Il revient du collège. Tu le vois ? Il arrive à l'angle de la rue. >

Je repérai l'ovale de cheveux au-dessous de moi.

< Oui, je le vois. >

< Je l'ai observé ce matin sur le chemin de l'école. Et je l'ai regardé jouer au foot pendant le cours de gym… >

< Ils jouent au foot ? Pendant le cours de gym ? Ça ne nous arrive jamais, à nous. >

< Maintenant, il rentre chez lui. Je vais te laisser prendre la suite parce que j'ai l'estomac qui crie famine. Et j'en ai aussi assez de regarder le haut de son crâne. >

< Est-ce qu'il a fait quelque chose de bizarre ou d'inhabituel ? >

< Il a marqué un but au foot. Est-ce que ça compte ? >

< Hé, regarde ! >

Je venais de remarquer trois gars qui se rapprochaient d'Erek par-derrière. Quelque chose dans leur manière de marcher attira mon attention. Vu de là-haut, on avait l'impression qu'ils étaient à sa poursuite.

< Humm, fit Tobias, ça ne me dit rien de bon. >

Tous les deux, nous avons laissé l'air glisser le long de nos ailes, et nous avons piqué vers le sol pour nous rapprocher. Je pus voir le visage d'un des gars derrière Erek. Il avait une expression que j'avais déjà vue, l'expression idiote et grimaçante d'une brute épaisse.

Tout à coup, ils accélérèrent le pas. Erek les remarqua et se mit à courir.

C'était une rue qui longeait un chantier. Il y avait pas mal de circulation à la gauche d'Erek et, sur sa droite, un mur de pierre. Le mur s'étendait sur à peu près cinquante mètres avant de s'ouvrir sur le chantier.

< Si Erek est un Contrôleur, ces abrutis commettent une sacrée erreur, fis-je, ils l'auront peut-être aujourd'hui, mais ils pourraient bien le regretter plus tard. >

< Je donnerais bien un coup de serre à ce gros tas, histoire de lui faire une nouvelle coupe de cheveux >, dit Tobias.

Il déteste les brutes. Quand il était encore un humain, il était un peu leur tête de Turc. Jake l'a connu alors qu'il avait la tête dans la cuvette des toilettes. Naturellement, Jake est venu à son secours et ils sont devenus amis.

< Tobias, je ne crois pas... >, commençai-je à dire,

mais c'était trop tard : il avait déjà plongé et visait la tête du plus gros de la bande.

Tout se passa en une fraction de seconde.

Erek courait, il trébucha et s'étala de tout son long dans la rue. Il vint heurter violemment le côté d'un bus qui passait à ce moment-là.

Bang !

De là-haut, j'entendis le bruit de l'impact. Et puis... et puis... pendant une seconde à peine, Erek a disparu. Là où il aurait dû se trouver, il y avait quelque chose d'autre, quelque chose qui semblait fait de morceaux d'acier et de bouts de plastique blanc comme du lait. Et, la seconde d'après, Erek réapparut, un garçon comme les autres, étendu hors d'haleine sur le trottoir.

Les voyous s'enfuirent. Le chauffeur du bus ne remarqua même pas ce qui s'était passé et poursuivit son chemin.

Tobias écarta ses ailes et s'arrêta presque en plein ciel.

< Tu as vu ça ? > demanda-t-il.

< Oui, aussi vrai que deux et deux font quatre. >

< Qu'est-ce que c'était ? >

< Je n'en sais rien, mais ce que je peux dire, c'est que ce n'était pas humain. >

CHAPITRE 6

< Il faut en parler à Ax >, dis-je à Tobias.

< Absolument ! Ça n'était pas humain, pas humain du tout. >

< Alors toi aussi tu l'as vu, pas vrai ? Je ne suis pas cinglé ? >

< Si, tu es cinglé, mais je l'ai vu moi aussi, fit Tobias. C'est très bizarre. >

Au-dessous de nous, Erek se releva, enleva la poussière de ses vêtements comme si rien ne s'était passé, et se remit à marcher en direction de sa maison.

< Vire sur la droite, me conseilla Tobias, on attrapera de bons courants ascendants qui nous éloigneront de la route. Je ne sais pas qui est réellement ton ami Erek, mais on dirait qu'il vient d'ailleurs. >

Nous avons volé rapidement jusqu'à chez nous.

Tobias partit de son côté pour prévenir Ax. Je démorphosai et rentrai chez moi pour que mon père ne s'inquiète pas et qu'il sache que j'étais toujours en vie. Puis, j'ai appelé Jake au téléphone. Mais c'est Tom qui a décroché.

– Salut, Tom. Est-ce que Jake est là ?

– Je n'en sais rien.

Il hurla « Jake ! » puis reprit :

– Il dit qu'il arrive.

– Super.

– Ça fait longtemps qu'on ne t'a pas vu, tu es très occupé, on dirait.

Je frissonnai. Ça fait bizarre de parler à des Contrôleurs lorsque vous savez qui ils sont.

C'était la voix de Tom et il agissait comme Tom. Mais ce n'était pas lui. Tom se réfugiait, incapable de faire quoi que ce soit, dans un recoin de sa propre tête.

C'est à un Yirk que j'étais en train de parler.

– Oui, on peut dire ça.

– On va jusqu'au lac pour faire du ski nautique.

– Toi et Jake?

– C'est ça, tu parles. Non, moi et les gars du Partage. Tu sais bien que Jake est bien trop asocial pour venir avec nous, fit Tom, en accompagnant ses mots d'un rire de dérision qui avait tout d'un rire de grand frère, totalement humain. C'est juste qu'on a trop de filles avec nous et pas assez de mecs.

Un mensonge, naturellement. Un mensonge qui était fait pour m'attirer. Mais pourquoi Tom essayait-il une nouvelle fois de m'intéresser aux activités du Partage ? Il me fournit bien vite la réponse.

– Alors, j'ai entendu dire que ton père travaille à nouveau. C'est chouette.

– Ouais, c'est vrai.

Mon père avait traversé une sale période après le « décès » de ma mère. Il avait repris son travail à présent. Il est ingénieur, mais il s'intéresse aussi de près aux ordinateurs. Il travaille pour le nouvel observatoire sur le moyen de concevoir des logiciels qui permettraient de diriger les télescopes avec plus de précision.

Il travaille aussi à des projets dont il ne peut pas me parler, projets qui, selon moi, touchent au domaine militaire.

– Tu pourrais venir avec ton père, ajouta Tom d'une voix qu'il voulait aussi naturelle que possible, ce n'est pas que ce soit super de sortir avec son père, mais, s'il est prêt à revoir du monde, ce serait bien... Et le Partage est un bon endroit pour se faire des relations.

– Ouais, je lui proposerai.

– Oui, fais-le, d'accord ? Ton père pourrait en profiter pour se détendre, prendre du bon temps et rencontrer des gens.

Alors c'était donc ça : ils en avaient après mon père maintenant. Je sentis quelque chose qui me brûlait les entrailles, comme si j'avais avalé une coulée de lave. J'aurais voulu pouvoir passer par la ligne du téléphone et filer un coup de batte de baseball à la créature infâme qui se trouvait dans la tête de Tom.

– Voilà Jake.

J'entendis une sorte de frottement quand il s'écarta de l'appareil, puis ce fut la voix de Jake.

– Salut Marco. Qu'est-ce qu'il se passe ?

J'éclatai.

– Qu'est-ce qu'il se passe ? Qu'est-ce qu'il se passe ? Ces ordures en ont après mon père, voilà ce qu'il se passe. Comment peux-tu le supporter ? Comment peux-tu avoir cette grosse merde tous les jours sous les yeux ? Il m'a dit : « Amène ton père avec toi au Partage, renforcez vos liens père-fils, et... ah oui... j'oubliais, est-ce que ça t'ennuierait si on lui mettait... »

– La ferme, chuchota Jake.

Je l'ai fermée. Mais ma main serrait le combiné si fort que j'aurais pu le casser net. Jake me laissa quelques instants pour me calmer. Il faisait des « oui, oui » au téléphone, comme s'il écoutait ce que je disais. Une ou deux fois, il fit aussi semblant de rire. Tom ne devait pas être loin.

Je savais que Jake avait raison. On ne parle pas de choses secrètes au téléphone. On ne peut pas savoir s'il n'y a pas quelqu'un d'autre qui écoute.

– C'est bon, je suis calme.

Je n'étais pas calmé, mais je pouvais de nouveau me maîtriser.

– Oui, je suis d'accord, fit Jake, continuant à faire semblant d'avoir une conversation.

– Il faut qu'on se voie, c'est une belle journée.

C'était le signal pour un rendez-vous dans les bois.

– D'accord, à plus, répondit Jake négligemment.

Il raccrocha.

Je pris deux ou trois inspirations profondes, puis deux autres encore.

Les Yirks avaient pris ma mère. Ils n'auraient pas mon père. Je ne laisserai pas faire ça sans réagir. Avant que ça n'arrive, je démolirai Tom, quoi que Jake en dise.

Je démolirai Tom, je démolirai Chapman. Je démolirai tous les Contrôleurs que je connais avant de les laisser s'en prendre à mon père. J'en ai le pouvoir. Des animaux féroces vivent en moi. Leur ADN se confond avec le mien.

Je pouvais sentir la colère bouillir en moi, une colère aveugle et violente qui se transformait en petits films dans ma tête ; des projections mentales dans lesquelles il était question de vengeance et de destruction. Je m'imaginais les choses horribles que je ferais à Tom, à Chapman et, un jour, à Vysserk Trois lui-même. Je leur ferais des choses horribles, horribles et d'une violence extrême.

C'était dément, et je le savais. Et pourtant, ces images passaient et repassaient dans ma tête.

On devient accro à la colère, vous savez. C'est un peu comme une drogue. La colère et la haine vous font planer. Elles vous font planer, mais comme toute drogue, elles vous vident aussi, vous mettent en pièces et vous bouffent tout cru.

Je crois bien que je savais tout ça. Mais je ne pensais qu'à une chose : ils n'auraient pas mon père.

Je repassai donc ces scènes de violence encore et encore dans ma tête. Je laissai ma fureur s'emparer de moi jusqu'à ce qu'elle s'éteigne d'elle-même et me laisse abattu et vidé.

CHAPITRE 7

Je rejoignis Jake et, ensemble, nous sommes allés à vélo chez Cassie. Il ne parla pas de ma conversation avec Tom. Il savait ce que je ressentais, c'est un sentiment que nous avons tous déjà connu.

Une fois à la ferme de Cassie, nous avons traversé les champs pour rejoindre l'orée de la forêt. Il y a un endroit là-bas, suffisamment éloigné, au milieu des arbres, pour ne pas être vu.

Rachel et Cassie étaient déjà là. Cassie était agenouillée sur les aiguilles de pin, occupée à observer un terrier. Je n'ai aucune idée de ce qu'il pouvait y avoir à l'intérieur, mais ça semblait la fasciner. Rachel était assise sur une grosse branche tombée d'un arbre.

– Tobias est parti à la recherche d'Ax, nous prévint Rachel alors que nous approchions.

– Je crois qu'il y en a trois, fit Cassie.

Je pense qu'elle devait parler de ce qu'il y avait dans le terrier.

– Alors, c'est pour quoi tout cet affolement ? voulut savoir Rachel.

Avant que Jake ou moi ayons pu répondre, j'entendis un craquement dans les buissons.

Il arriva en sautant, bondissant par-dessus le tronc sur lequel Rachel était assise. « Il », c'était Aximili-Esgarrouth-Isthil.

– Salut Ax. Tu as fait une entrée très spectaculaire.

Évidemment, chaque apparition d'Ax est spectaculaire. Ax est un Andalite, l'unique survivant de son espèce après la destruction du vaisseau Dôme andalite par les Yirks alors que celui-ci se trouvait en orbite autour de la Terre. Il vient d'une autre planète.

Dans *Star Trek*, les extraterrestres ne sont que des humains qu'on a maquillés et à qui l'on fait porter des costumes idiots. Mais ils ont tous l'air plus ou moins humain, agissent comme des êtres humains et parlent notre langue. Eh bien Ax n'est pas du tout comme ça. Il suffit que vous lui jetiez un coup d'œil pour deviner qu'il n'est pas d'ici.

Imaginez une sorte de gros daim bleu et brun. Seulement, à la place de la tête et du cou, il y a un torse à moitié humain, surmonté d'une tête pour le moins surprenante, car Ax n'a pas de bouche mais possède quatre yeux. Deux d'entre eux se situent là où l'on s'attend à les trouver, mais les deux autres se trouvent au bout de tentacules qui partent du haut de sa tête. Ceux-là fonctionnent de manière totalement indépendante. Ax peut vous regarder droit dans les yeux avec ses deux yeux principaux et continuer de regarder derrière lui avec l'un de ses tentacules oculaires pendant qu'avec l'autre, il observe au loin sur la droite.

C'est plutôt déstabilisant, tant qu'on n'a pas l'habitude. Mais ça ne vaut pas sa queue qui rappelle celle d'un scorpion. Elle se soulève et se recourbe, si bien que le bout, en forme de lame de rasoir, se trouve habituellement à hauteur de ses épaules tombantes. C'est une queue qui bouge très rapidement et qui est très dangereuse. Pour tout dire, Ax pourrait découper en tranches un humain en moins de deux.

Heureusement, Ax est dans notre camp.

< Bonjour, prince Jake, bonjour Marco et Rachel. Cassie ? Tu as perdu quelque chose ? >

Cassie se releva puis, après réflexion, brossa ses genoux.

– Des bébés opossums, expliqua-t-elle.

– Ne dis rien à Tobias, fis-je, il les mangerait.

< Je suis déjà au courant qu'ils sont là >, remarqua Tobias.

Je levai la tête, étonné. Il était dans l'arbre au-dessus de moi. Je ne l'avais pas entendu arriver.

Cassie haussa les épaules.

– Tobias est un faucon, c'est son droit.

Ensuite, elle leva les yeux vers lui et sourit.

– Mais tu sais, ils sont adorables.

< Bon, bon, grommela-t-il, j'ai compris : cette portée est hors de mon territoire. Tu es contente ? >

– Tu es un cœur, Tobias.

< Nous devrions bouger, suggéra-t-il, il y a des gamins qui jouent au gendarme et au voleur à trois cents mètres à l'ouest. On ferait bien de garder nos distances. >

Nous nous sommes tous mis à marcher en direction de l'est, et Tobias partit de nouveau en éclaireur pour s'assurer qu'il n'y avait aucun danger.

– Bon, Marco, fit Jake après quelques minutes, c'est toi qui nous as convoqués. Alors, qu'est-ce qu'il y a ?

Je racontai tout ce que Tobias et moi avions vu.

Tobias nous rejoignit et ajouta quelques détails. Ensuite, je me tournai vers Ax.

– Alors, Ax, c'est toi notre extraterrestre officiel. Qu'est-ce que tu en dis ?

Ax tourna la tête dans ma direction et me regarda avec ses deux yeux principaux.

< Marco, il est arrivé quelque chose à tes cheveux. Je crois bien qu'ils ont raccourci. Est-ce que tu es malade ? >

– Cette fois, ça suffit ! criai-je tandis que les autres éclataient de rire, ils vont repousser, d'accord ? Ils vont repousser. En plus, c'est plus facile à entretenir. Il n'y a pas de quoi en faire une thèse !

< Est-ce que j'ai dit quelque chose qu'il ne fallait pas ? > demanda Ax.

– Non, le rassura Jake, pas du tout. Marco est seulement un peu susceptible. Continue, Ax, quelle est ton opinion sur cet Erek ?

< Je ne sais pas trop. Ça ne ressemble à aucune espèce que je connaisse. >

– Quoi ? Nom d'un chien, c'est toi l'expert en extraterrestres ! m'exclamai-je.

< Marco, même nous, les Andalites, ne connaissons pas toutes les espèces de la galaxie. >

Je peux jurer qu'au ton de sa voix, il semblait gêné. Bien que le mot « ton » ne soit pas tout à fait le mot exact, puisqu'il avait recours à la parole mentale.

– La description de Marco ne te rappelle rien ? demanda Jake.

< Non. >

– A la manière dont vous le décrivez, on dirait plus un robot ou quelque chose de ce genre, hasarda Rachel. Mais comment fait-il pour se faire passer pour un humain ?

< Oh, c'est très possible, techniquement parlant, fit Ax soulagé de pouvoir nous apprendre quelque chose pouvant nous aider. Il s'agit probablement d'une projection holographique, un peu comme votre télévision primitive, mais en trois dimensions. >

– Notre télévision primitive ? Hé, j'ai le câble à la maison, remarquai-je.

Ax ne trouva pas cette réflexion amusante, mais elle fit sourire Cassie.

Tobias descendit en piqué au-dessus de nos têtes, et vint se percher sur une branche.

< Ce qui voudrait dire que lorsque Erek s'est fait renverser par le bus, l'hologramme a disparu pendant une petite seconde. >

< Il est possible que l'alimentation en énergie ait été interrompue ou en surcharge, suggéra Ax, mais la question intéressante est : quelle forme d'énergie ? Il en faudrait une grande quantité pour alimenter un tel hologramme, heure après heure et jour après jour. >

– Hé, peut-être qu'il s'alimente en électricité nucléaire, suggérai-je.

Ax se mit à rire. Puis, il dut se rendre compte que je ne plaisantais pas.

< Je ne pense pas que ce soit possible, poursuivit-il sans cesser complètement de rire, comme si j'étais l'imbécile le moins évolué de tout l'univers. Je crois qu'il faudrait une technologie bien plus avancée. >

– Est-ce qu'il existe un moyen de voir à travers cet hologramme ? demanda Cassie.

– On pourrait le frapper avec quelque chose d'aussi gros qu'un bus.

– Voilà bien une proposition digne de Rachel, fis-je en riant.

Le fait d'être avec mes amis, je me sentais mieux.

– Marco a découvert que le Partage organisait une petite sortie en ski nautique sur le lac, intervint Jake.

Il se mordit les lèvres et ajouta :

– C'est Tom qui lui en a parlé. Erek est membre du

Partage. Il y sera sûrement, lui aussi. C'est l'occasion rêvée pour nous de l'observer attentivement. Ça, c'est pour le lieu. Maintenant, il faut trouver comment faire.

Ax réfléchit un moment tandis que nous avancions dans les bois.

< L'hologramme est fait pour tromper les humains. Il est réglé pour réagir à l'œil humain. Les yeux des aigles sont plus performants que ceux des hommes, mais perçoivent les mêmes longueurs d'ondes. Peut-être qu'une vision totalement différente serait capable de transpercer l'hologramme. >

Mon cœur se serra. Je savais ce qu'allait être la conclusion : la nécessité d'avoir recours à une animorphe répugnante.

– Nous sommes les spécialistes des visions en tous genres, remarqua Rachel avec un petit rire léger.

Elle me tapota dans le dos, comme si la vie n'était qu'une grande aventure.

Quelquefois, elle m'énerve vraiment.

– Pas d'insecte, d'accord ? Tout ce que je dis, c'est que je ne veux plus morphoser en insecte. Est-ce que c'est trop demander ?

CHAPITRE 8

Il faut croire que c'était trop demander, comme je le découvris deux jours plus tard.

– Comment ça, on va tirer à la courte paille ? demandai-je d'un air soupçonneux.

– Pour décider qui va prendre notre nouvelle animorphe, expliqua Rachel. Ax fait partie de l'expédition de toute façon. Nous avons besoin de son avis d'expert ès extraterrestres. Il faut que l'un d'entre nous l'accompagne.

– Et c'est quoi, cette animorphe ? me renseignai-je avec une certaine crainte.

– Une araignée, fit Cassie.

Nous étions dans sa grange. C'était un samedi matin. Le vendredi, j'avais appris que j'avais obtenu quatorze sur vingt à mon devoir d'anglais. Pas mal, non ? J'avais regardé la télé jusque tard dans la nuit en compagnie de mon père et j'étais arrivé en retard à notre réunion.

C'était le genre de surprises que les autres préparaient en mon absence.

– Pardon ? Je dois avoir un problème aux oreilles...

Je me tapotai le côté de la tête avec la paume de ma main.

– ... car j'ai cru entendre le mot « araignée ». Or, je crois bien avoir dit plus d'insectes.

Cassie tendit la main vers moi. Et, dans cette main, il y avait une araignée.

– Ce n'est pas un insecte. Les arachnides possèdent huit pattes et leur corps est divisé en deux parties. Les insectes ont six pattes et leur corps est divisé en trois parties.

Je jetai un œil à l'araignée, et je jure que je faillis m'évanouir.

– Comme je savais qu'on allait faire ça aujourd'hui, j'ai décidé de faire quelques recherches. Il s'agit d'une araignée-loup. Et sa vue est plutôt bonne : elle a huit yeux.

A écouter Cassie, avoir huit yeux était quelque chose de positif. Comme si tout le monde aurait dû souhaiter avoir aussi huit yeux.

– Hors de ma vue, Cassie, hors de ma vue. Je refuse de morphoser en araignée ! Tu peux le faire si tu veux. Moi, je n'aime pas les araignées.

Jake me lança un regard.

– Marco, c'est toujours Cassie qui essaie les nouvelles animorphes. Et d'ailleurs, c'est plus ta mission que celle des autres.

– Quoi ? Comment ?

J'étais très en colère.

– Pourquoi est-ce que ça serait plus ma mission que la tienne ou celle de Rachel ?

Jake haussa les épaules.

– Erek est ton ami.

– Mon ami ? Quand est-ce que j'ai dit ça ? Il n'est pas mon ami. Je le connais à peine !

– Marco, tu es vraiment un gros nul.

– Eh, tu voudrais être une araignée, toi ?

Rachel trembla d'une manière à peine perceptible.

– Pas de problème.

Elle mentait, j'en étais sûr.

– Si je tire la paille la plus courte, je serai ravie de me transformer en araignée.

Ensuite, elle se mit à rire. Elle ne pouvait pas garder son sérieux.

– Écoute, fit Jake, tu n'es pas obligé de participer. C'est juste que nous allons essayer de nous infiltrer dans une réunion du Partage. Et les Yirks sont très méfiants en ce qui concerne les animorphes. Nous devons nous fondre dans l'environnement du lac. Quelle que soit l'animorphe choisie, elle doit appartenir à cet environnement. On ne peut pas se montrer en lion, en tigre ou en ours.

– Oh que non ! s'exclama Cassie.

– On a besoin d'avoir une bonne vue, mais pas des yeux ordinaires de mammifères. Et nous ne pouvons pas tous y aller sous la même forme. Je veux que deux d'entre nous restent à l'arrière pour intervenir en cas de problème. Ax doit y aller parce qu'on a besoin de lui pour connaître la vraie nature de cet Erek. Il va y aller sous forme d'araignée et il faut quelqu'un pour l'accompagner.

– Est-ce que quelqu'un en a déjà parlé à Ax ?

– Il était là tout à l'heure. Pendant que tu fainéantais au lit. Il a dit qu'il pensait qu'un corps d'araignée était beaucoup plus pratique qu'un corps humain, expliqua Cassie. Je le cite mot pour mot, il a dit : « Ah, très bien, avec huit pattes, on ne risque pas de tomber comme un humain. »

– Estime-toi heureux qu'on t'ait attendu, grogna Rachel, et tire une paille.

Jake avait cinq pailles dans la main et il était impossible de dire laquelle était la plus courte.

– Ah, ah, fis-je, je sais comment m'en sortir. C'est mathématique. Si je tire en premier, je n'ai qu'une chance sur cinq de tirer la mauvaise. Pour celui d'après, ce sera une sur quatre, puis une sur trois et ainsi de suite. Donc, il est plus sûr de tirer en premier.

Je pris une profonde inspiration, tendis la main et choisis une paille.

Je respirai de nouveau très fort et découvris une paille minuscule.

– Mathématiquement parlant, c'était pourtant la meilleure chose à faire.

J'étais au bord des larmes.

Rachel prit un air moqueur :

– Tu sais, si c'est pour te comporter comme un gosse, je le ferai à ta place.

J'aurais dû dire que j'étais d'accord, c'est ce que j'aurais dû faire. Mais au lieu de ça, je lui répondis :

– Ne me regarde pas de haut comme ça, Ô puissante Xena. Ce n'est pas parce que je ne fonce pas tête baissée dans tout ce qui bouge que je suis un gros nul. Je n'ai jamais reculé devant aucune animorphe jusqu'à maintenant. Et si Ax est partant, moi aussi. Tu peux rester dans le coin et nous servir de renfort, Rachel. Moi, je vais au cœur de l'action.

Ce à quoi Rachel répondit par un « d'accord » prononcé très calmement.

Vous voyez, c'est pour ça que les garçons et les filles ne devraient pas combattre côte à côte, parce que c'est beaucoup plus difficile pour un garçon de se comporter comme une poule mouillée sous les yeux d'une fille. Et tout spécialement quand c'est une kamikaze. S'il n'y avait eu que Jake et Tobias, j'aurais pleuré toutes les larmes de mon corps et je me serais vautré par terre. Cassie me mit l'araignée sous le nez.

– Ça n'est pas si dur que ça, fit-elle, j'ai morphosé en araignée hier juste pour voir ce que ça faisait. J'ai toujours adoré Spiderman.

– Si tu le dis, grommelai-je.

C'était la meilleure ! Rachel était prête à prendre ma place et Cassie avait déjà essayé.

Je tendis le doigt pour toucher l'araignée. C'était tout tremblotant... mon doigt, pas l'araignée.

J'effleurai son dos et tentai de retirer ma main, mais Cassie me retint.

Elle se calma pendant que je prenais possession de son ADN. Grâce à la technologie andalite qui m'a été transmise, je peux faire ça.

Et si les Yirks avaient raison ? Les Andalites étaient peut-être les empêcheurs de tourner en rond de l'univers. Mais je sais une chose : au moment précis où je touchai le corps couvert de poils raides de l'araignée, j'aurais préféré que les Andalites aient donné leur pouvoir à quelqu'un d'autre.

CHAPITRE 9

Le lac est dans la montagne, très loin d'où nous habitons tous. Et si nous avions dû nous y rendre à pied, ça nous aurait pris plusieurs jours. Par chance, nous n'avons pas eu à marcher.

Nous avons notre propre petite ligne aérienne : VAA, Voyagez Avec les Animorphs.

C'était une belle journée. De rares nuages flottaient dans le ciel bleu. Le soleil était éclatant. Un tapis vert s'étendait sous nos yeux tandis que nous volions en direction des montagnes.

J'avais mes ailes de balbuzard toutes grandes ouvertes et le soleil, qui baignait le sol, renvoyait des courants d'air chaud. Bref, on ne peut rêver mieux… si on omet le fait que nous allions à la rencontre de tout ce qu'il y a de plus dégoûtant et que nous allions nous jeter dans la gueule du loup.

< Il est temps de se séparer, prévint Tobias, le lac se trouve juste après la prochaine crête. >

Nous n'avions pas volé en rang serré, car cela aurait paru plus que suspect. Deux balbuzards, un busard, un aigle chauve, un faucon pèlerin et un faucon à queue rousse volant tous ensemble... inconcevable dans la nature. Mais nous étions tous séparés de moins d'un kilomètre, et allions tous dans la même direction.

Tobias se mit à décrire paresseusement de grands cercles pour rester en arrière. Rachel et Cassie se séparèrent aussi. Les Yirks devaient avoir prévu une sécurité renforcée aux abords de l'endroit où se tenait la réunion du Partage. Les Yirks savent tout de l'animorphe. Ils devaient être sur le pied de guerre.

Tous trois, Ax en busard, Jake en faucon pèlerin et moi, nous avons continué à voler en direction du lac, en restant toutefois assez éloignés les uns des autres.

< Tu sais, un oiseau de ton espèce a essayé de me tuer l'autre jour >, fis-je à Jake.

< C'est ce que Tobias m'a dit, répondit-il, tu as intérêt à faire gaffe, les faucons sont les rois. >

< Ouais, c'est ça. Mais il n'a pas tenté sa chance une deuxième fois. >

< Ne provoque pas un faucon >, reprit-il.

< Dans une bataille sans embrouille, à un contre un, un balbuzard te mettrait la pâtée. >

< C'est ça, tu peux toujours y croire >, lança Jake en ricanant.

< Excusez-moi, interrompit Ax, y a-t-il un sens caché à cette conversation qui m'échapperait ? >

< Ouais, ça veut dire que Jake et moi on a la frousse, alors on se raconte des trucs pour ne pas y penser. >

< Ah, moi aussi j'ai peur. Je n'aime pas morphoser en animaux de petite taille. Ça me fait penser au reste de ma masse. >

< A quoi ? > demandai-je sans vraiment faire attention.

Je n'arrêtais pas de penser à l'animorphe qui m'attendait.

< Au reste de ma masse. Lorsque tu morphoses en quelque chose de plus petit que toi, il faut bien que ta masse corporelle aille quelque part. Alors elle va dans l'Espace-Zéro. C'est l'espace que les vaisseaux traversent lorsqu'ils vont plus vite que la lumière. Ça n'est pas très courant, mais il arrive qu'un vaisseau qui voyage dans cet espace rencontre une masse qui est là temporairement en suspens. >

Cette fois-ci, j'ouvrais tout grand mes oreilles.

< Attends une seconde. Tu ne serais pas en train de me dire que lorsque nous rétrécissons, toute la matière en trop... toute la chair qui reste, et les boyaux et les os, tout ça forme un gros paquet dans l'Espace-Zéro, comme un gros ballon de tissu humain ? >

< Naturellement. Tu croyais que toute cette masse allait où ? >

Je frissonnai.

< Je ne me suis jamais vraiment penché sur le problème. >

Jake était aussi interloqué que moi.

< Alors, en ce moment, il y a un gros morceau de Jake qui flotte dans l'Espace-Zéro ? Et un vaisseau spatial pourrait bien passer par là, lui rentrer dedans et l'éclater en mille morceaux ? >

< Non, non, bien sûr que non. >

Je poussai un long soupir de soulagement. J'avais dramatisé, semble-t-il.

< En réalité, aucun vaisseau ne heurterait une masse flottante, poursuivit Ax, s'adressant à nous comme si nous étions des attardés, les écrans de protection du vaisseau désintégreraient cette masse.

C'est pourquoi je n'aime pas trop morphoser en animaux de petite taille. Ça n'arrive que très rarement, une fois sur un million. Mais ça pourrait quand même arriver. >

Jake et moi avons ressassé un certain temps cette image d'un vaisseau désintégrant un gros paquet de notre masse corporelle... pas vraiment beau à voir !

< Hé Ax, reprit Jake, tu te rappelles qu'on t'a demandé d'être honnête avec nous ? De nous dire tout ce que tu sais ? >

< Oui, prince Jake. >

< On va faire une petite exception : à partir de maintenant, ne nous raconte jamais des histoires pareilles alors qu'on est peut-être sur le point de livrer bataille. >

< Un gros bout de Marco dans l'Espace-Zéro... murmurai-je... C'est comme faire dépasser ses fesses par la fenêtre de la voiture en attendant qu'un poids lourd s'amène et vous les arrache. >

A cet instant précis, j'atteignis le haut de la crête. Des pins gigantesques me grattaient presque le ventre. Et là, s'étalant sous mes yeux et étincelant sous le soleil, un lac immense avait trouvé refuge entre les collines et les montagnes avoisinantes.

< Ok les gars, fit Jake, je vous laisse ici. Juste un dernier mot : je sais que les araignées mangent les mouches, alors, retenez-vous. Je me répète, n'en avalez pas. J'aurai déjà bien assez de soucis comme ça en morphosant en cet insecte. >

< Rappelle-moi encore une chose, pourquoi est-ce qu'on fait tout ça au lieu de rester tranquillement chez nous à faire la grasse matinée ? >

< Pour sauver le monde >, répondit Jake.

< Oh oui, super. Ma masse se balade quelque part dans l'Espace-Zéro et je suis sur le point de me transformer en Spiderman. Je savais bien qu'il y avait une bonne raison à ça. >

CHAPITRE 10

Il y avait bien deux cents personnes autour du lac au-dessous de nous, des garçons, des filles et des personnes plus âgées. Certains se baignaient, d'autres faisaient du ski nautique. D'autres encore faisaient griller des hamburgers et des hot dogs au barbecue. Le plus grand nombre se contentaient de marcher, discuter et rire. On aurait dit un grand pique-nique. Vus du ciel, ils semblaient tous si normaux. Et il est d'ailleurs probable que la plupart de ces gens, au-dessous de nous, étaient normaux. Mais beaucoup étaient des Contrôleurs. Et Erek, qui n'était certainement pas très normal, se trouvait parmi eux.

Nous sommes restés très en retrait des rives du lac et nous sommes descendus parmi les arbres pour finalement atterrir sur le sol, au milieu de hautes broussailles.

D'après mes yeux et mes oreilles de balbuzard, il n'y avait personne à cent mètres à la ronde. Mais j'avais quand même des picotements de nervosité.

< On démorphose ? > proposa Ax.

< Pas encore. Tobias nous a prévenus qu'il referait un tour au-dessus de nous une fois qu'on se serait posés. >

Alors nous avons attendu, formant un tableau étrange : deux oiseaux de proie en train de traîner au milieu des fourrés à l'orée d'une forêt. Je percevais le bruit strident des bateaux à moteur sur l'eau et, plus près de nous, des rires humains qui éclataient ça et là.

< C'est bon les gars. >

Les mots de Tobias, qui s'exprimait par parole mentale, se firent soudain entendre dans ma tête.

< Rien à signaler. Il y a un garçon et une fille à environ cent mètres d'ici. Mais je crois bien qu'ils sont en train de flirter, alors ils devraient en avoir pour un moment.>

Vite, je me mis à démorphoser. L'une des limites de l'animorphe, c'est qu'il est impossible de morphoser directement d'un animal à un autre. Il faut toujours repasser par son véritable corps.

Dans le cas d'Ax, ça veut dire repasser par son corps d'Andalite. Ça devait sûrement le rendre nerveux, car l'endroit était plein de Contrôleurs. Les Yirks pouvaient ne pas se méfier d'un gamin qui furetait, mais ils remarqueraient sûrement un Andalite.

< Es-tu prêt à remorphoser ? > demanda Ax, une fois notre apparence normale retrouvée.

– Je ne serai jamais prêt à morphoser en araignée, répondis-je.

Je claquais des dents, et ce n'était pas à cause du froid.

< Il faut que je morphose vite, je ne peux pas rester longtemps sous ma forme d'Andalite. >

– Ouais, ouais, je sais. D'accord, d'accord, je te suis. Mais je vais garder les yeux fermés.

Je concentrai mes pensées sur l'araignée. Mais je perdis ma concentration, sûrement parce que l'image même de cette araignée-loup me répugnait. Puis Ax se mit à se transformer. Je savais que je ne pouvais pas rester là à le regarder, qu'il fallait que je morphose moi aussi.

– Ça ne peut pas être pire que de morphoser en mouche, ou en fourmi, pas vrai ? fis-je alors que personne ne m'écoutait.

Non pas que je tenais à me remémorer ma transformation en fourmi ; nous avions passé de sales moments dans cette animorphe.

J'ai fermé les yeux de nouveau pour me concentrer. Cette fois-ci, j'y parvins.

Je me sentis rétrécir petit à petit. Rétrécir est toujours une sensation un peu étrange, mais là, je pensais aussi à cette énorme et dégoûtante masse qui s'appelait Marco et qui flottait soudain dans l'Espace-Zéro.

Quelle que soit la nature de cet Espace-Zéro.

Je me sentais rapetisser, je sentais que des choses très étranges se passaient à l'intérieur de moi : par exemple une sensation de vide à l'endroit où des organes avaient tout simplement disparu.

Je perçus très distinctement un bruit d'écrasement provenant de ma colonne vertébrale, puis de tout mon squelette : le bruit des os se transformant en moelle avant de se liquéfier et de disparaître.

Ça voulait certainement dire que je n'aurais plus besoin d'os.

Je gardai les yeux bien fermés, refusant de regarder ce qui était en train de se passer. Et, avec entêtement, je m'accrochais à ma peur. Comprenez-moi, s'il y a quelque chose d'encore pire que d'être une araignée, c'est bien être un mélange répugnant, à mi-chemin entre l'humain et l'araignée.

C'est à ce moment-là que… Pop ! Pop ! Pop !

Je voyais ! J'essayai de fermer les yeux… mais impossible ! Je n'avais pas de paupières ! Et c'est dur de fermer les yeux quand on n'a pas de paupières.

Des yeux sortaient grands ouverts de mon front, ils émergeaient de mon crâne comme des boutons.

Je faillis alors en perdre la tête. J'aurais crié si j'avais encore eu une voix. Mais j'étais déjà à moitié araignée. Et je regardai fixement Ax qui subissait une transformation qui ressemblait beaucoup à la mienne.

Je l'observais, et ma vision était en partie humaine et en partie celle, éclatée comme un miroir brisé, d'une araignée.

Une horreur poussait à l'endroit où, sur le visage d'Ax, la bouche aurait dû se trouver, quelque chose d'énorme, de protubérant et d'immonde : deux choses monstrueuses, gonflées comme… comme rien de ce que je connaissais jusqu'alors. C'étaient des mâchoires, mais des mâchoires énormes et disproportionnées. Au bout de chacune d'elles émergeait un crochet recourbé et terrifiant.

Quelquefois, les paupières sont vraiment, vraiment

indispensables, car il existe sans aucun doute des horreurs qu'on n'a pas envie de voir.

Je savais que la même chose était en train de m'arriver. Ma mâchoire protubérante grandit jusqu'à pénétrer mon propre champ de vision déformé.

Par chance, je n'eus pas à m'inquiéter très longtemps de mes mâchoires. C'est que... mon attention fut détournée lorsque je sentis des pattes exploser de ma poitrine.

Splaaashh !

Quatre pattes toutes neuves, deux de chaque côté, émergèrent de mon corps, comme si j'avais été un tube de dentifrice qu'on aurait pressé très fort. Elles sortirent aussi informes que de la guimauve, puis les articulations se mirent en place. Elles étaient d'ailleurs bien trop nombreuses.

Mes bras et mes jambes d'humain changeaient aussi pour se transformer en pattes d'araignée. Je tombai en avant, incapable de rester debout plus longtemps. Ce ne fut pas une grosse chute. Je n'étais déjà plus très grand. Les aiguilles de pin sous moi paraissaient aussi grosses que des doigts d'homme.

Mais il ne me restait plus de doigts pour comparer vraiment...

Pendant tout ce temps, de nouveaux yeux continuaient d'apparaître, là où on ne les attendait pas. Certains étaient des yeux à cellules multiples, d'autres non.

Et alors, comme si ces pattes en plus, ces yeux kaléidoscopiques et ces mâchoires immenses armées de crochets ne suffisaient pas, des machins ressemblant vaguement à des pattes sont sortis de... hum, de l'endroit où se trouvait jadis mon cou. On aurait dit des pattes supplémentaires, mais ça n'en était pas vraiment. J'ignorais totalement ce que ça pouvait être. Mais ça bougeait. Beaucoup plus tard, j'ai découvert que ça portait le nom de pédipalpes, une sorte de mélange entre une bouche et une patte.

Ma tête n'arrêtait pas de grossir, comparée au reste de mon corps. Elle était gigantesque... toutes proportions gardées. Mon corps entier était maintenant divisé en deux gros morceaux : une tête énorme, et un corps encore plus énorme.

J'étais presque devenu une araignée. Les aiguilles de pin, qui m'avaient semblé aussi grosses que des doigts, paraissaient maintenant avoir la taille de rondins de bois.

Dernier raffinement, des poils étrangement

soyeux se mirent à pousser partout sur mon corps. Ce fut leur apparition, semble-t-il, qui provoqua le réveil de mon cerveau.

L'araignée-loup a de bons yeux, pour une araignée. Mais ce sont surtout ces milliers de poils minuscules qui font réagir son cerveau. Ils enregistrent le moindre renseignement porté par le vent, le moindre mouvement, dans toutes les directions.

Et, tout à coup, j'eus l'impression que le monde entier se mettait en marche : les feuilles, les aiguilles de pin, la terre sous les griffes de mes huit pattes, les insectes sur le sol, les taupes sous la terre et les oiseaux dans le ciel.

Tout ça semblait connecté aux poils qui recouvraient mon corps d'araignée.

Sous le poids de cette surcharge sensorielle, le cerveau de l'animal s'éveilla. J'avais craint qu'il soit, comme celui de la fourmi, une machine sans esprit. Ou qu'il ne ressemble au cerveau terrifié, apeuré et paniqué d'une proie.

Mais que non, non et non.

On ne l'avait pas appelée l'araignée-loup pour rien.

C'était une petite chose minuscule, ne mesurant pas plus de trois centimètres de l'extrémité d'une patte arrière au bout d'une patte avant. Un bambin aurait pu facilement l'écraser sous son pied.

Mais à croire que la taille seule ne fait pas le prédateur car, sitôt que je sentis ce cerveau d'araignée se mettre à fonctionner, je sus qu'il fallait s'attendre à des problèmes avec cet animal-là.

L'araignée-loup était une tueuse.

CHAPITRE 11

J'ai faim : c'était, en substance, ce que disait le cerveau de l'araignée. Elle était affamée et elle voulait chasser. Elle voulait tuer, et avaler quelques insectes bien juteux.

Car elle avait faim. Ai-je déjà mentionné ce détail ?

Et elle se serait bien contentée de n'importe quel insecte, de scarabées, de sauterelles, de criquets ou d'une méchante mante religieuse. L'araignée n'était pas difficile. Elle dominait le monde des insectes. Elle était pour eux ce qu'est un lion à un troupeau d'antilopes, un requin parmi les poissons.

Ils pouvaient s'enfuir, mais ils ne pouvaient pas se cacher.

Quelque chose avait bougé ! De gauche à droite, et ça traversait mon champ de vision. Je me lançai à sa poursuite comme un chien après un lapin.

Huit pattes se mirent en marche et je fonçai sur le sol de la forêt comme un dragster qui passe la ligne de départ.

Comme le monde semblait étrange à mes yeux d'araignée ! Je voyais des couleurs qu'aucun humain n'a jamais perçues ; un peu comme lorsqu'on joue avec la touche couleur sur la télécommande de la télévision. Certaines choses, qui auraient dû être marron, m'apparaissaient bleues, le vert était remplacé par du rouge ou une autre couleur. Vues d'un certain angle, les images étaient presque nettes mais, l'instant d'après, tout éclatait en paillettes, et c'était comme regarder en même temps un million de petits écrans.

Et jamais je ne suis parvenu à en tirer une quelconque signification.

Mais par-dessus tout, j'étais attiré par tout ce qui bougeait. Très, très attiré. Mes yeux et le moindre de mes poils sur mon répugnant et minuscule petit corps ne pensaient qu'à repérer ce qui bougeait.

Et lorsque quelque chose digne d'attention se mettait en mouvement, mon corps réagissait tout seul.

C'était « la ruée vers l'or », comme on disait au temps de mon grand-père, une charge militaire, comme si on ouvrait tout grand l'arrivée d'adréna-

line. Ça avait la violence d'une décharge électrique, ou d'une explosion nucléaire. Je passai à toute berzingue sur le tapis d'aiguilles de pin et de feuilles mortes et sur les tas de boue, sans jamais perdre de vue l'insecte qui n'arrêtait pas d'avancer. Et je savais pertinemment ce que je faisais. Ce que je veux dire, c'est que je savais que j'étais Marco, un humain qui avait morphosé, et je savais que je ne tenais pas vraiment à avaler cet insecte qui allait au pas de course mais, bon sang, c'était trop bon pour que je puisse m'arrêter.

La proie s'enfuyait et j'étais le prédateur. Cela faisait des centaines de millions d'années que mon espèce avait évolué pour en arriver là. Le *Tyrannosaurus rex* était loin de penser ne serait-ce qu'à évoluer, que les chasseurs de la famille des petits arachnides tuaient et dévoraient déjà. L'histoire entière de l'*Homo sapiens*, depuis l'homme des cavernes jusqu'au footballeur, ne représentait qu'une fraction de seconde comparée à l'histoire des araignées.

J'étais la mort montée sur huit pattes.

C'était un scarabée. C'était ça que je pourchassais ; un bon vieux scarabée, beaucoup plus gros que moi. Plus gros et plus lent. Il prenait de plus en plus de place dans mon champ de vision, et je continuais à lui courir après.

J'aimerais pouvoir expliquer pourquoi je m'acharnais à le poursuivre. Quelquefois, le cerveau de l'animal devient incontrôlable pendant quelque temps et submerge le cerveau humain. Mais ce n'est pas ce qui se passait en moi. Mon cerveau n'était pas paralysé. J'étais juste fasciné par cette course-poursuite.

Une dernière petite accélération !

Mes pattes avant touchèrent le scarabée. Il fit un saut sur la gauche, mais il était trop lent.

Je grimpai sur son dos.

Je préparai mes mâchoires et leurs crochets terrifiants et...

< Marco, qu'est-ce que tu fais ? >

C'était Ax. Tout penaud, je quittai le dos du scarabée. Il reprit sa course, soulagé de s'être échappé. Enfin, si les scarabées peuvent éprouver du soulagement.

< Heu, rien du tout. Je laissais juste l'araignée s'exprimer. >

C'était une réponse assez bonne, d'après moi.

< Je crois que je me suis un peu laissé emporter par ses instincts. >

< Marco, moi aussi j'ai morphosé en araignée-loup >, dit Ax.

Un sentiment de culpabilité m'envahit, et je me sentis soudain tout honteux.

< Ax, ce n'était qu'un scarabée. Qu'est-ce que ça peut bien faire ? Allez viens, on a du boulot. >

< Quelquefois, les humains m'inquiètent >, remarqua Ax.

Je ne lui ai pas demandé ce qu'il entendait par là. Pourquoi est-ce que je m'étais laissé entraîner comme ça dans cette poursuite ? Pourquoi est-ce que je n'avais pas résisté ? La rage qui m'avait saisi quand j'avais parlé à Tom me revint soudain à l'esprit. Est-ce que c'était la même chose ?

< Je crois que c'est par là >, fit Ax.

Il prit la tête et je le vis avancer devant moi, petite araignée qu'il était, évoluant à toute vitesse et sans efforts sur ses huit pattes.

Je le suivis sagement. J'avais retrouvé mon calme. L'excitation incroyable et folle de la chasse avait disparu. L'araignée n'était plus qu'un outil dont je me servais.

Tout à coup, venant du ciel, quelque chose fonça sur moi !

Elle s'arrêta entre Ax et moi. C'était une sauterelle, trois fois, non, quatre fois plus grosse que nous. On aurait dit un éléphant.

Et... hop ! Elle fit bouger ses pattes arrière et sauta dans les airs. Elle disparut aussi vite qu'elle était apparue. Nous avons repris notre chemin à travers la forêt, parcourant les deux cents mètres qui nous séparaient du rassemblement du Partage. Je pouvais sentir que les humains étaient proches. Je perçus des vibrations qui étaient peut-être bien des paroles, mais les voix étaient trop embrouillées pour que je comprenne le moindre mot.

< Hé, Marco, Ax, vous êtes là ? >

C'était Jake qui s'exprimait par parole mentale.

< Oui, prince Jake, répondit Ax, nous sommes là. >

< On ne ressemble pas vraiment à des top models, mais on est bien là >, ajoutai-je.

< Génial. Je ne suis pas vraiment joli à regarder non plus. J'ai morphosé en mouche. Mais je n'ai pas encore repéré Erek. >

Quelque chose de massif et de lent apparut dans les airs au-dessus de moi. Je m'écartai. La chose atterrit doucement dans un grondement sourd : whoouuumph !

C'était un pied humain ! Une chaussure ! Une Nike !

< Vous savez, ça m'inquiétait de penser qu'un humain aurait pu m'écraser sous son pied, fis-je, mais ils sont si lents ! >

< Fais quand même attention, m'avertit Jake, et faites-le-moi savoir si vous trouvez Erek. >

< Je ne sais pas comment faire pour le reconnaître, remarquai-je en râlant, ces araignées ne voient pas bien de loin, et les têtes des humains me semblent à des années-lumière, là-haut dans les nuages, par rapport à moi qui suis une créature rampante. >

Néanmoins, Ax et moi avons repris notre chemin, slalomant parmi une forêt de jambes et de pieds énormes qui bougeaient à une vitesse d'escargot.

Puis, tout à coup, droit devant moi, je l'ai vu. On aurait dit un pied humain sans vêtement. Sauf que je pouvais voir à travers la peau... et à travers les ongles des orteils.

Avec mes huit yeux étranges et déformants, je pouvais traverser la brume de l'hologramme, je pouvais discerner ce qu'il y avait dessous. Et ce que je vis, c'était un mélange de plaques d'acier et d'ivoire. Le « pied » n'avait pas d'orteils. En fait, il n'avait pas la forme d'un pied d'homme. Ça ressemblait plus à une patte.

Et ça n'avait rien d'humain. Tous mes sens d'araignée hypertrophiés, qui tintaient et sonnaient comme une alarme, me disaient que ça n'était pas en vie.

< Ax ? >

< Oui, je le vois. >

< Qu'est-ce que c'est ? >

< Je n'en sais rien. >

< On dirait presque une machine. Comme si c'était fait dans du métal. >

< Oui, répondit Ax, selon moi, il se pourrait bien que ton ami Erek soit un androïde. >

CHAPITRE

12

< Un androïde ? >

< Oui, un robot, une machine faite pour rappeler une espèce vivante >, expliqua Ax comme s'il s'agissait de la chose la plus naturelle au monde.

< Est-ce que ça te rappelle quelque chose que tu connais, Ax ? > demandai-je en levant les yeux vers la chose qui s'appelait Erek.

< Ça ne correspond pas aux androïdes que je connais. Et ce n'est pas un Andalite. Je ne crois pas qu'il s'agisse d'une création yirk. J'ignore qui ou qu'est-ce que ça peut être. >

Mes yeux d'araignée discernaient le pied et une grande partie de la jambe. C'était comme regarder deux choses à la fois. A l'extérieur, ça avait l'apparence d'une jambe humaine et, plus haut, on aurait dit un short. Mais en dessous, il y avait cette machine qui semblait faite d'acier et d'ivoire. Il y avait des milliers de plaques enchevêtrées, presque comme les cottes de mailles que portaient les chevaliers. Toutes les articulations avaient une forme plus ou moins triangulaire. Les morceaux qui semblaient en ivoire étaient un peu plus gros que ceux qu'on aurait dit en acier.

Le robot ou l'androïde, enfin quelle que soit la chose dont il s'agissait, était plus petit que l'« humain » Erek. La jambe que j'avais sous les yeux était bizarrement construite. Elle ressemblait plus à une patte de chien allongée qu'à une jambe d'homme.

Erek se déplaça et la jambe du robot, entourée de son hologramme de pied humain, se souleva.

< Jake ? > appelai-je.

< Oui ? Hé, je crois que j'ai vu celui que nous cherchons. Il est... c'est dur à distinguer avec les sens de la mouche, mais je vois comme un halo de lumière tout autour de lui, comme si quelque chose était caché derrière cette luminosité. >

< C'est bien lui >, ai-je confirmé.

< Attends une minute, il y en a un autre ! >

< Quoi ? >

< Une autre créature de la même sorte, ajouta Jake, je viens juste de la frôler. Ils sont deux. >

< Bien, les choses sont… >, commençai-je à dire avant d'être interrompu.

Fwap ! Fwap ! Fwap ! Fwap !

Une tornade ! Le sol devant moi explosa au moment où deux énormes pieds s'enfonçaient dans la boue.

Une ombre au-dessus de ma tête ! Je me mis à courir.

Deux grandes formes triangulaires noires descendirent du ciel. Elles fouillaient la boue, juste devant moi ! Juste derrière moi !

Comme une puissante pelleteuse, les deux triangles se refermèrent l'un contre l'autre. Avec moi à l'intérieur. Dans l'obscurité. L'obscurité totale. Quelque chose d'énorme, de musculeux, était en train de me m'écraser, de me broyer.

Je ne pouvais plus respirer. Je ne pouvais plus voir. J'étais compressé et roué de coups.

Et soudain, j'ai réalisé ce qu'il se passait…

On était en train de m'avaler.

< Aaaaahhhh ! > criai-je.

Il y a deux sortes de parole mentale. L'une qui est comme un chuchotement, pour les conversations privées. L'autre qui est comme un cri que tout le monde peut entendre. Et c'est cela que je faisais : je criais.

Toutes les personnes présentes autour de ce lac pouvaient m'entendre. Les humains qui étaient encore des hommes libres et qui devaient probablement se demander ce qui se passait, et les Contrôleurs, qui savaient qu'il s'agissait de la parole mentale.

Mais je m'en fichais, on était en train de m'avaler.

< Marco ! s'exclama Jake. Que se passe-t-il ? >

< Marco, tout le monde peut t'entendre ! > s'inquiéta Ax.

J'ai essayé de contrôler ma panique. On était en train de m'avaler, mais je n'étais pas mort, pas encore.

< Quelque chose... Quelque chose m'a attrapé ! > expliquai-je en ne dirigeant ma parole mentale qu'en direction de Jake et d'Ax.

< Je pense qu'il s'agit d'un oiseau, observa Ax, je le vois. Très gros et très noir. Il s'envole. >

Mes pattes d'araignée étaient écrasées contre mon flanc. Deux d'entre elles étaient brisées. Les poils qui recouvraient mon corps ne me transmettaient plus aucune information. Mes yeux étaient aveugles. Il n'y avait plus assez d'air, même pour une araignée, pour respirer.

J'étais prisonnier du gosier d'un oiseau, suspendu dans les airs, et sur le point de suffoquer.

< Tobias ? criai-je désespérément. Tu m'entends ? >

< Marco, que se passe-t-il ? >

Sa réponse semblait venir de très loin.

< Un oiseau m'a mangé. Un oiseau noir. Il s'est envolé. Tu peux nous voir… ? Au secours ! >

< Marco, il y a une douzaine de gros corbeaux qui volent dans le ciel. Je ne peux pas te dire lequel t'a avalé. >

Je sentais mon esprit commencer à s'évanouir. L'araignée allait mourir. Qu'allait-il m'arriver si elle mourait ? C'est la question que je me posais alors que je me sentais partir. Que deviendrait cette énorme masse de matière appartenant à Marco qui flottait dans l'Espace-Zéro ?

Cette pensée me fit réagir. Il fallait que je m'en sorte.

Démorphose !

J'essayai de former une image mentale de moi-même, de Marco l'être humain. Mais tout était si confus. Mon esprit était en train de mourir et, en s'évanouissant, il formait des milliers d'images. Des images de loup, de gorille et de fourmi géante. Des images de tous les animaux que j'avais été, de tous les esprits qui m'avaient animé.

Je ne parvenais pas à former une image de mon apparence humaine et à m'y raccrocher. Mais soudain, un visage apparut dans ma conscience à bout de force, le visage de ma mère.

Je crois que ce n'est pas une surprise. On raconte que, sur les champs de bataille, les soldats qui vont mourir appellent souvent leur mère dans leur dernier souffle. Et j'en étais là.

Mais il s'agissait de ma vraie mère. La personne qu'elle était quand elle vivait vraiment. Pas le Contrôleur qu'elle est devenue. Pas le Contrôleur nommé Vysserk Un, ma mère à moi.

Elle me souriait. Elle était plus petite que moi, mais elle s'est pourtant penchée sur moi pour me relever. Je m'envolai, dans les airs, vers son visage. Elle m'a embrassé.

– Plus tu grandis, plus tu es beau Marco mon chéri, me dit-elle.

Marco. L'être humain. Je me suis soudain vu clairement à travers ses yeux, tel que j'avais été quand j'étais petit. Pas Marco l'Animorph, mais Marco le petit garçon.

Et soudain...

La pression devint plus forte. Toujours plus forte.

J'étais écrasé de toutes parts. Je sentis des muscles s'affaiblir et trembler.

Puis le bruit formidable d'un déchirement !

De la lumière ! De la lumière !

Je démorphosais. Je démorphosais et je grandissais. J'étais passé au travers du gosier de l'oiseau et maintenant je tombais !

< Marco ! > s'écria Tobias.

Je distinguai l'image trouble et déformée du corbeau qui tombait à mes côtés.

Je tombais. Un curieux mélange d'araignée atrophiée et d'embryon humain tombait dans les airs.

J'avais à peu près la taille d'une balle de baseball et je grossissais sans cesse. Je déteste essayer de deviner à quoi je ressemble. Je me doute que ce n'est pas beau à voir.

Blammmmm !

J'ai heurté le sol. J'ai rebondi. J'ai de nouveau heurté le sol.

Je suis resté étendu là, ne sachant pas où j'étais, ni qui j'étais. Mais une chose était sûre, j'allais démorphoser. J'allais sortir de cette animorphe.

Si j'avais eu une bouche, je me serais mis à crier sans jamais m'arrêter. Mais ma bouche n'est réapparue que plus tard. Quatre de mes pattes d'araignée se mirent à rapetisser, puis ont disparu. Les autres ont repris la forme de jambes et de bras humains. Mes minuscules griffes se sont transformées en orteils. Mes mâchoires et mes crochets sont devenus des lèvres et des dents.

Mes huit yeux d'araignée ont disparu les uns après les autres, et il n'en resta bientôt plus que deux. Ils ont progressivement repris une apparence humaine.

Et j'ai vu, à travers mes yeux d'humain, un ciel bleu. Et les branches des arbres se balançant au-dessus de moi.

Et soudain j'ai vu, face à moi, mon ancien camarade de classe, Erek.

Erek l'androïde.

CHAPITRE 13

< Marco, s'étonna Erek, depuis quand tu t'es fait couper les cheveux ? >

Qu'est-ce qu'ils ont tous avec mes cheveux ?

Peu importe, pour mes yeux d'humains, Erek paraissait sans aucun doute possible un garçon comme les autres. Je savais que ce n'était pas le cas, mais, même en connaissant la vérité, il était difficile de croire qu'il n'était qu'un hologramme cachant un androïde.

Serais-je capable de remorphoser en une créature assez puissante pour… pour pouvoir me défendre ? Non, certainement pas. L'endroit était plein de Contrôleurs, il suffisait qu'il appelle à l'aide pour obtenir du renfort.

C'est alors qu'une fille arriva en courant. Elle me regarda, étendu par terre, puis elle fixa Erek.

– Qui c'est celui-là ? demanda-t-elle.

– Son nom est Marco, lui répondit-il calmement. Tu sais, l'un des résistants andalites dont Chapman n'arrête pas de nous parler. L'un de ceux qui utilisent la technologie andalite pour mener la guérilla.

– Bien sûr, fit-elle.

Erek me montra du doigt.

– Je crois que cet humain est l'un d'eux.

Voilà, c'était la fin. La fin de notre existence d'Animorphs. Nous avons toujours été conscients du fait que si les Yirks découvraient notre véritable identité, ou que nous étions humains, ce n'était plus qu'une question de jours avant qu'ils nous trouvent.

J'étais malade. Malade de peur pour moi-même et pour les autres. J'avais tout gâché. A cause de moi, ils connaissaient notre grand secret.

Erek tourna la tête en direction de la fille.

– Je te présente mon amie Jenny.

Je n'étais pas vraiment heureux de faire sa connaissance.

J'ai entendu le bruit de gens qui s'approchaient de nous à travers les buissons.

– Rien à signaler, annonça bien fort Erek, Jenny s'est juste fait mal à la cheville. Je vais l'aider à se relever. Continuez à chercher, je crois que j'ai entendu quelque chose par là.

Erek remarqua mon air perdu et perplexe. Il me sourit.

– *Il y a plus de choses sur la terre et dans le ciel, Horatio, que votre philosophie n'en rêve.*

– Shakespeare ? remarquai-je, ahuri.

– Exact, *Hamlet*. J'ai vu la première représentation au théâtre.

– Mais… la première représentation a été donnée il y a des siècles.

Erek approuva d'un signe de tête.

– Sais-tu d'où je viens ?

A mon tour je fis un signe de la tête, toujours allongé dans la boue.

– Morphose en un animal assez petit pour partir discrètement d'ici, me suggéra Erek. Ensuite, viens me voir chez moi avec tes amis. Je crois que nous avons beaucoup de choses à nous dire.

Pour je ne sais quelle raison, je lui fis cette réponse :

– Nous savons que tu n'es pas humain, que tu es un androïde.

– Je sais que tu n'es pas un Andalite, répliqua Erek.

– Comment savoir si je peux te faire confiance ?

Il haussa les épaules.

– Je pourrais te dénoncer si je le voulais. Je pourrais devenir le nouvel homme de confiance de Vysserk Trois. Même un Vysserk sait récompenser ses collaborateurs quand ils savent se rendre vraiment utiles.

– Peut-être préférerais-tu nous attraper tous ensemble ?

Ne me demandez pas pourquoi je réagissais comme ça. Peut-être parce que j'étais dans une situation des plus humiliantes. Peut-être que si je n'avais pas été assis dans la boue dans cette tenue ridicule...

Erek s'accroupit.

– Marco, si je te livre à Vysserk Trois, il obtiendra le nom de tous les autres. Je sais que tu es courageux. Il faut que vous le soyez, toi et tes amis, pour avoir fait tout ce que vous avez déjà fait. Mais tu n'es pas assez fort pour résister aux tortures de Vysserk Trois. Tu parleras.

Je réfléchis quelques instants. Il avait raison, bien sûr. Il connaissait parfaitement le genre de torture que peut faire subir Vysserk Trois.

– Nous viendrons, finis-je par dire. De toute

manière, nous n'avons pas tellement le choix. Tu nous a eus par surprise.

Erek hocha la tête.

– Ce n'est pas ce que tu crois. Ce sera une rencontre entre amis, Marco. Tu sais, nous aussi nous combattons les Yirks.

CHAPITRE 14

Mon père avait fait du poulet pour dîner ce soir-là. J'avais passé l'après-midi avec mes amis à discuter de la proposition d'Erek. Nous avions retourné le problème dans tous les sens, pour arriver à la conclusion que nous devions aller à cette réunion. Nous n'avions pas vraiment le choix, en fait.

Du poulet au barbecue avec des chips et du maïs grillé. C'était le plat le plus raffiné que mon père était capable de préparer. Il fallait donc que j'en mange. C'était une obligation. Mais, vous savez, quand vous êtes passé à travers le gosier d'un oiseau, vous avez ensuite du mal à manger du volatile mort.

– Comment tu trouves ça, me demanda mon père.

– Excellent.

Nous étions sur la terrasse dans notre jardin. Nous habitions une maison qui ressemblait à celle que nous avions lorsque nous étions une vraie famille. Après la mort de ma mère – c'est toujours ainsi que je parle de sa disparition – mon père a connu des moments difficiles. Il a perdu son travail. Nous avons quitté notre ancien pavillon pour nous installer en appartement dans un quartier minable de la ville.

Mais ce n'était rien. Je veux dire, avoir de l'argent et une belle maison, c'est vraiment bien, mais ce n'est pas de la pauvreté dont j'ai le plus souffert. C'est de la solitude. Mon père était enfermé dans son monde à lui à cette époque, j'étais le seul à m'occuper de la cuisine, du ménage et de tout le reste.

C'était agréable de vivre de nouveau en pavillon et de pouvoir faire des barbecues. Mais ce n'était pas ça qui comptait vraiment. L'important, c'était que mon père soit de nouveau mon père. Je sais que ça semble un peu bizarre d'entendre ça venant de moi.

– Encore un morceau ?

– Bien sûr, un peu de blanc.

Je lui tendis mon assiette en essayant de ne pas penser au corbeau éclaté et au fait que j'avais failli lui servir de déjeuner. Certaines choses de ma vie étaient bien trop étranges.

J'avais des questions à poser à mon père, mais je

voulais que tout cela paraisse naturel. Vous savez, comme lorsque vous avez une conversation normale.

– Alors papa, qu'est-ce que tu fais de beau en ce moment au boulot ?

Il haussa les épaules et me fit un clin d'œil.

– Nous terminons ce projet à l'observatoire. Je n'en reviens toujours pas de ce qui s'est passé. Le programme que ton ami Non a créé par hasard à soudainement disparu.

Mon ami Non est en réalité Ax. Mais c'est une longue histoire*, et ce sont des choses que je ne peux pas raconter à mon père.

– Et ensuite, quand le projet sera fini à l'observatoire, que vas-tu faire ? lui demandai-je en essayant de paraître le plus naturel possible, tout en croquant dans mon épi de maïs grillé.

Mon père me regarda fixement, presque de manière suspicieuse.

– Je ne peux pas en parler, une mission pour une société appelée Matcom.

Je me mis à rigoler, essayant toujours de rester très désinvolte.

* voir *L'Extraterrestre* (Animorphs n° 8)

– Pour construire une nouvelle génération de bombe ?

Il garda le silence pendant quelques instants puis, sur un drôle de ton, il ajouta :

– Je n'ai jamais fait de recherches pour l'industrie de l'armement.

Je fus surpris par cette réponse.

– Et pourquoi ça ?

– Tu vas manger ton poulet ou tu comptes juste le décortiquer ?

Il me regarda ensuite longuement, avec l'air de se demander si j'étais assez âgé pour entendre ce qu'il avait à me dire.

Je pris un morceau de poulet avec ma fourchette. Après tout, le poulet ça n'est pas du corbeau.

– C'est à cause de ta mère, finit-il par dire.

Je m'arrêtai de manger.

– La dernière année, un an et demi avant que… tu sais. Avant que… Nous vivions vraiment heureux à cette époque.

Il sourit à quelque chose que lui seul pouvait voir.

– Il nous arrivait de nous disputer quand tu étais plus jeune, comme tous les couples. Mais depuis quelque temps, c'était comme si tous nos problèmes s'étaient résolus, envolés. Peut-être avais-je changé. Peut-être avait-elle changé. Je ne sais pas.

Je sentis mon cœur se serrer.

– Ce fut le meilleur moment de ma vie, avoua-t-il, c'était comme si nous avions atteint une sorte de perfection dans l'amour et la paix. Mais, en même temps, c'était aussi une époque où ta mère paraissait quelquefois si soucieuse. Comme si elle devait affronter un problème dont elle ne me disait rien.

J'avais le souffle coupé. Je savais. Je savais ce qu'il s'était passé en réalité. Le parfait amour dont parlait mon père était en réalité l'œuvre du Yirk qui vivait dans la tête de ma mère. Le Yirk qui n'avait que faire de minables petites batailles domestiques, qui recherchait la paix pour pouvoir se concentrer sur une mission autrement plus importante.

– Peu importe. Mais une fois je me suis réveillé au milieu de la nuit. Ta mère était assise dans le lit, parfaitement éveillée. Je devinai qu'elle venait de faire un mauvais rêve ou quelque chose de ce genre. Mais je sentis soudain un frisson me parcourir. C'était comme si…

Il secoua la tête.

– C'était si étrange. C'était comme si elle avait été

prisonnière d'un puits sans fond et qu'elle essayait de me lancer un appel.

Mes yeux s'emplirent de larmes. J'espérai que mon père ne remarquerait rien.

– Elle me dit alors : « Ils te laisseront tranquille si tu restes à l'écart du domaine militaire. » Cela me sembla dénué de sens, mais la manière dont elle l'avait dit… comme s'il s'agissait de la chose la plus dure qu'elle ait jamais dite… comme si c'était la chose la plus importante qu'elle ait jamais déclarée.

Je pouvais imaginer combien cela avait dû être difficile pour ma mère de réussir à prononcer ces quelques paroles. Parfois, dans des cas extrêmes, l'être humain prisonnier des Yirks peut réussir à échapper à leur contrôle, à se libérer pour quelques secondes.

Il paraît que l'humain qui fait cela le paie très cher. Que la limace maléfique qui l'habite lui fait ensuite subir des tortures mentales durant des semaines entières.

Ma mère, ma vraie mère, avait profité d'une seconde d'inattention du Yirk pour échapper à son contrôle.

– Enfin, ajouta mon père, je sais que ta mère avait juste fait un mauvais rêve. Mais malgré tout, quand on me propose de travailler dans le domaine de la défense, j'ai toujours ce mauvais pressentiment.

Il m'était impossible de continuer à manger désormais.

– Papa, es-tu sur le point de travailler sur un projet militaire ?

Il évita mon regard.

– Matcom me propose des choses très intéressantes. Leurs propositions ne concernent pas le domaine militaire. Mais… Eh bien, ils ont des projets extrêmement secrets. Et je pense que certaines de leurs activités ont un lien avec le militaire.

Voilà, c'était ça, la raison pour laquelle Tom essayait de me convaincre d'emmener mon père à une réunion du Partage. Il travaillait sur un projet que les Yirks désiraient contrôler.

Ma mère l'avait pourtant prévenu. C'était même les derniers mots, les derniers mots de femme libre qu'elle avait prononcés.

Il ignorait pourtant l'avertissement, et les Yirks voulaient maintenant faire de lui un Contrôleur.

CHAPITRE 15

Nous avions décidé de rencontrer Erek chez lui. Nous restions cependant sur nos gardes. Seuls Jake, Cassie, Ax et moi irions. Rachel et Tobias resteraient dehors, en renfort. Rachel se ferait un plaisir d'utiliser son animorphe de grizzly en cas de besoin.

– Ax n'a qu'à utiliser la parole mentale s'il y a un problème, répéta-t-elle pour la dixième fois. Je peux morphoser en grizzly en une minute et il ne me faudra que quelques secondes pour défoncer cette porte.

– Si tu fais ça, essaie de ne pas me donner un coup de patte en passant, d'accord ? plaisantai-je.

Je jetai un coup d'œil autour de moi et vis Tobias descendre du ciel et s'installer sur un arbre dans le jardin d'Erek.

Je pouvais plaisanter, j'étais quand même rassuré de les voir là, prêts à intervenir en cas de besoin.

Nous nous sommes approchés de la porte d'entrée d'une maison qui paraissait tout ce qu'il y a de plus ordinaire. J'envoyai à Jake un regard qui voulait dire : « Hé, j'espère que nous avons raison de faire ça. » Mais Jake, lui, était trop occupé à échanger des regards graves avec Cassie.

– Bon, quelqu'un frappe à la porte ? demandai-je.

Je jetai un coup d'œil à Ax. Il était dans son animorphe humaine. Cette animorphe est composée des ADN de nous tous, sauf de Tobias. Il y a donc un peu de Jake, de Rachel, de Cassie et de moi dans l'apparence humaine d'Ax. Cela donne un garçon, mais mignon comme une fille.

En plus, il est énervant quand il est humain.

– Frapper ? Frapper à la porte ? Pourquoi ? Frapper-per.

Les Andalites n'ont pas de bouche, et utiliser le langage humain avec tous ses sons l'amuse beaucoup. Il ne peut pas s'empêcher de jouer avec les syllabes. Et puis, un conseil, ne restez pas avec lui dans une pièce où il y a de la nourriture.

Jake frappa.

La porte s'ouvrit. A ma grande surprise, ce n'était pas Erek. C'était son père, M. King.

Il fit un signe de la tête.

– Entrez.

Nous avons pénétré dans la maison. Je me sentais bizarre. On aurait dit que l'on venait demander si Erek voulait sortir jouer avec nous. Je veux dire, cette maison paraissait si normale à l'intérieur. Des meubles normaux avec des lampes normales et de la vaisselle normale. Une télévision normale, branchée sur une chaîne d'information avec le son coupé.

Il y avait également deux chiens, un labrador et un terrier petit et gros. Le labrador se releva pour s'asseoir sur son arrière-train. Le terrier courut vers nous et renifla nos chaussures.

– Est-ce qu'Erek est ici ? me renseignai-je.

M. King hocha la tête.

– Oui. Voulez-vous un verre de soda ou quelque chose d'autre ?

– Non merci, monsieur King, répondit Cassie.

Elle se pencha pour caresser les oreilles du terrier.

– Tu aimes les chiens ? lui demanda M. King.

– Elle aime tous les animaux. Même les putois, me moquai-je.

– Mais les chiens, est-ce que tu aimes les chiens ?

Cassie sourit.

– Si la réincarnation existe vraiment, je voudrais revenir sur terre en étant un chien.

M. King sourit à son tour, fixant Cassie comme si elle venait de dire quelque chose d'extrêmement important.

– Voudriez-vous tous me suivre ?

Il fit demi-tour et se dirigea vers la cuisine. Encore une fois, la parfaite normalité des choses était des plus étranges. Il y avait des Post-it collés au réfrigérateur où étaient notées des choses comme : acheter des œufs et du poivre. Quelqu'un avait laissé traîner un paquet de céréales.

M. King ouvrit une porte. Elle menait au sous-sol. Nous l'avons suivi dans un étroit escalier en bois.

C'est à ce moment-là que j'ai commencé à me poser des questions. Je remarquai qu'Ax quittait progressivement sa forme humaine pour retrouver son corps d'Andalite. Sacré Ax, il sentait le danger et voulait être prêt à se servir de sa redoutable queue. J'aurais bien voulu disposer d'une arme pareille, moi aussi.

M. King s'arrêta quand nous sommes arrivés dans la cave. Sans paraître surpris le moins du monde, il regarda Ax finir de démorphoser. Il attendit poliment qu'il ait terminé.

Alors, à ma plus grande surprise, je me suis senti m'enfoncer doucement. Cela m'a pris quelques secondes avant que je ne réalise ce qu'il se passait réellement. Le sous-sol descendait comme un ascenseur. En jetant un coup d'œil au-dessus de moi, je m'aperçus qu'il n'y avait pas de toit, juste les ténèbres.

– Whaou ! s'exclama Cassie.

– N'ayez pas peur, nous rassura M. King.

Ce ne fut pas long. Nous avions peut-être descendu l'équivalent de quatre ou cinq étages. Enfin, c'est ce qu'il me semblait. Alors, avec une légère secousse, le sous-sol-ascenseur stoppa doucement.

– Est-ce l'étage du rayon homme ? demandai-je.

Je fus à peine surpris quand un mur entier de la cave, où étaient accrochés un tuyau d'arrosage et divers outils de jardin, disparut purement et simplement. A la place du mur on pouvait maintenant voir un couloir éclairé par une lumière dorée.

– Ce genre de chose ne m'arriverait pas dans mon sous-sol, murmurai-je à Jake.

– C'est vrai que ce n'est pas commun, avoua-t-il.

– Par là, nous fit M. King.

Nous l'avons suivi. Il était un peu tard pour reculer maintenant.

Le couloir n'était pas très long, à peine quinze mètres. Il conduisait à une impasse, un mur nu. Tout à coup, ce mur disparut lui aussi.

– Pfououou !

– Incroyable !

< Étrange. >

– C'est juste un hologramme, pas de panique, d'accord ? essayai-je de rassurer tout le monde.

Mais quelque part, je savais que ce n'était pas ça. Je savais que tout cela était bien réel. Incroyable, mais bien réel.

Derrière le mur était aménagé un espace éclairé par une lumière jaune et baigné d'une douce chaleur.

Je quittai le couloir et posai le pied sur une pelouse moelleuse. Au-dessus de ma tête, peut-être à trente mètres de hauteur, était suspendu un globe brillant, comme un soleil. C'était lui qui diffusait cette lumière.

Devant nous s'étendait une sorte de parc, plus grand qu'un terrain de football, avec des arbres, de l'herbe, des ruisseaux, des fleurs, des papillons voletant joyeusement, des abeilles butinant de fleur en fleur, des écureuils sautant d'arbre en arbre.

Se promenant çà et là, il y avait des androïdes. Des androïdes sous leur forme naturelle, des

machines faites d'acier et d'une matière blanche. Ils avaient des bouches qui ressemblaient plus à des museaux ; des jambes qui paraissaient maladroites et des gros doigts.

Mais ce qui était choquant n'était pas la présence d'une demi-douzaine d'androïdes, c'était qu'il y avait là des centaines, peut-être des milliers, de chiens. Des chiens normaux, de tous les jours, bien de chez nous, de toutes les races imaginables, courant en bande, aboyant, jappant, grognant. Ils poursuivaient les écureuils, se reniflaient les uns les autres et semblaient vraiment bien s'amuser.

Jake, Cassie et moi nous tenions là, bouche bée, complètement hébétés. S'il avait eu une bouche, Ax aurait sûrement fait de même.

C'était le paradis des chiens. Un immense parc souterrain peuplé de chiens et de robots.

L'un d'entre eux se mit à courir dans notre direction. Comme il se rapprochait, un hologramme se forma tout autour de lui. C'est alors qu'apparut Erek.

– Bienvenue, fit-il, je pense que vous devez être un peu surpris.

CHAPITRE 16

– Bienvenue chez les Cheys.

M. King s'était éloigné, et Erek nous a emmenés sous un grand arbre. Un petit cours d'eau coulait juste à quelques mètres de nous. Soudain le silence s'installa, comme si quelqu'un avait baissé le son chez tous les chiens. Je pouvais encore les entendre, mais comme dans le lointain.

< Vous êtes des androïdes >, déclara Ax.

– Exact.

< Vous faites preuve d'un haut degré de sophistication technologique. >

Erek sourit avec sa bouche qui semblait vraiment humaine.

– Nous sommes juste des créations, ce sont nos créateurs qui sont à l'origine de tout cela.

– Pourquoi nous avoir fait venir ici ? voulut savoir Jake. Pourquoi nous avoir montré tout cela ?

– Nous voulions que vous nous fassiez confiance, expliqua Erek. Nous savons que vous êtes méfiants, et c'est naturel. Je suis sûr que vous n'êtes pas tous là et que les autres sont prêts à vous porter secours au cas où nous vous trahirions. Je tenais à ce que nous soyons sur un pied d'égalité. Nous connaissons votre secret, il était normal que vous connaissiez le nôtre.

– Nous t'avons vu au concert, dis-je.

Il sembla surpris, puis hocha la tête.

– Ah oui, c'était vous les deux chiens, n'est-ce pas ? Je voulais vous demander quelque chose. Dites-moi, qu'est-ce que cela fait d'être un chien ?

– C'est vraiment chouette, avoua Jake avant de se reprendre. Alors tu savais que c'était nous ?

Erek secoua doucement la tête.

– Je n'en étais pas sûr, mais j'avais senti quelque chose d'étrange. Nous savions qu'il y avait des êtres capables de morphoser sur Terre. Il y a peu de choses que les Yirks sachent et que nous ne sachions pas.

– Tu distribuais des prospectus pour le Partage. Tu étais à une réunion du Partage, accusai-je.

– Exact. Mais peut-être devrais-je vous raconter

notre histoire. Alors vous comprendriez mieux qui nous sommes. Et pourquoi nous sommes vos alliés. Et aussi pourquoi nous... enfin certains d'entre nous... désirent vous aider.

– Voilà une bonne nouvelle, fit Cassie.

S'il y a une chose à dire à propos d'Erek, c'est qu'il sait bien raconter les histoires. Soudain, tout s'est évanoui autour de nous. Puis se forma une immense image en trois dimensions. Elle semblait aussi réelle qu'Erek.

Nous avions quitté la terre. Il y avait deux soleils dans le ciel, l'un petit et presque rouge, l'autre quatre fois plus gros que notre soleil à nous et beaucoup plus doré.

Les arbres, les fleurs et les herbes qui nous entouraient n'avaient rien de commun avec la végétation terrestre. Les troncs des arbres étaient verts et lisses. Les branches n'avaient pas de feuilles, elles se divisaient juste en branches plus petites à la couleur changeante. Elles étaient d'abord vertes, puis argentées, et leur extrémité était d'une belle teinte de rose brillant. Ces rameaux étaient tous entrecroisés et, vu de loin, les arbres ressemblaient à d'énormes ballons de bois rose.

Les arbres n'étaient pas plus gros que sur Terre,

me semblait-il, mais les champignons, eux, étaient énormes. Enfin, cela ressemblait à des champignons. Ils étaient au moins deux fois plus gros que les arbres eux-mêmes. Ils servaient apparemment de nids malpropres à des animaux bondissants à trois pattes dont la peau faisait penser à du cuir. Sur chaque champignon était perché un de ces animaux.

Il y avait d'autres espèces qui vivaient là, toutes plus étranges les unes que les autres. Mais la plus remarquable que nous ayons vue était certainement cette créature à deux pattes mesurant environ un mètre trente. Elle avait de longues oreilles pendantes et un museau. Elle ressemblait étrangement à un chien qui aurait marché sur ses pattes arrière. En réalité, elle avait un étrange air de ressemblance avec Erek quand il n'était pas entouré de son hologramme et qu'il découvrait sa véritable apparence.

– Nos créateurs, nous expliqua Erek. Ils se nomment les Pémalites. Des centaines de milliers d'années avant que les Andalites ne découvrent le feu, les Pémalites étaient déjà capables de voyager plus vite que la lumière.

Je remarquai que la redoutable queue d'Ax frémit en réaction à ces paroles.

– Et, bien sûr, les humains n'étaient que des singes poilus quand ils visitèrent pour la première fois la Terre. Les Pémalites n'ont pas soif de conquête et ils ne désirent pas intervenir dans la vie des peuples des autres planètes. Ils aiment la vie.

Erek sourit.

– Ils aiment jouer, blaguer et rire. Et ils sont une race évoluée depuis de si nombreux siècles que leurs instincts les plus durs ont disparu. Ils ne connaissent pas le mal. Leur âme et leur cœur sont purs.

Je trouvai cela difficile à croire. Mais en regardant l'hologramme autour de moi, il était possible d'admettre que sur leur étrange planète les Pémalites aient trouvé une profonde paix intérieure. Cet endroit respirait la tranquillité. Un peu comme les jardins zen. Il inspirait simplement le calme. Le calme et non la mort, la fatigue ou l'ennui.

Partout où je regardais, je voyais des Pémalites sauter, jouer, se poursuivre et émettre d'étranges « chuk chuk chuk », qui devaient être leur manière de rire.

Les images autour de nous changèrent et, comme au cinéma, nous fîmes un bond en avant dans le temps. Les Pémalites n'étaient plus seuls, ils étaient en compagnie d'androïdes comme Erek qui ressemblaient vaguement à leurs créateurs canins.

– A l'origine, nous n'étions que des jouets, commenta Erek. Les Pémalites nous ont créés pour s'amuser avec nous. Ils nous ont appelés les Cheys. C'est un mot qui signifie « ami ». Ils nous faisaient également travailler un peu, mais ils nous ont créés essentiellement pour leur loisir. Une race artificielle, certes, mais pas une race d'esclaves mécaniques.

Erek nous regarda, et je jure qu'il y avait des larmes dans les yeux de son hologramme.

– Nous étions leurs amis, leurs égaux, leurs compagnons. Ils nous ont appris à rire et à nous amuser. Ils adoraient quand ils arrivaient à créer un androïde capable d'inventer une blague. Ce fut une immense fête qui dura une année.

A ce moment-là... ZZZZZZAAAARRRRPPPPP !

Je fus projeté en arrière. Un monstrueux rayon de lumière laboura le sol comme l'aurait fait le soc d'une charrue. Il incendia les arbres roses et les champignons géants.

– Et les Hurleurs débarquèrent, reprit Erek. Ils surgirent sans crier gare de l'Espace-Zéro, des milliers de puissants vaisseaux. Ils arrivaient d'une très lointaine galaxie. Les Pémalites ignoraient qui ils étaient. Et ils ne comprirent jamais ce que voulaient les Hurleurs, qui ne firent d'ailleurs aucune demande. Ils se contentèrent d'attaquer. La destruction était peut-être leur seul but.

Les images que nous montra ensuite Erek faisaient penser à celles de la Seconde Guerre mondiale : des attaques aériennes, des stations spatiales détruites, des vaisseaux éventrés. Des Pémalites sans défense flottant dans le vide sidéral. Des scènes de massacre encore et encore...

Je remarquai que Cassie s'était mise à pleurer. Je crois que moi aussi. C'était trop horrible.

– La race des Pémalites fut presque entièrement exterminée, poursuivit Erek. Une centaine de Cheys et une centaine de Pémalites quittèrent la planète, s'échappant à bord d'un vaisseau quelques secondes avant une nouvelle vague d'attaque des Hurleurs. Nous nous sommes enfuis dans l'Espace-Zéro. Nous n'avions pas de plan, pas d'idée de ce que nous allions faire.

– Pourquoi n'êtes-vous pas retournés vous battre ? me suis-je étonné. Tu nous as dit que les Pémalites étaient des êtres très avancés. S'ils pouvaient créer des androïdes, ils pouvaient créer des armes.

Erek me regarda et hocha la tête, comme s'il approuvait.

– Les Pémalites avaient oublié ce que signifie le conflit et la guerre. Ils étaient des créatures de paix. Ils avaient oublié jusqu'à l'existence du mal.

Je n'étais pas satisfait de cette réponse. Elle n'avait aucun sens pour moi. Mais je laissai Erek raconter la fin de sa terrible histoire.

– Alors que nous fuyions dans l'Espace-Zéro, nous nous sommes rendu compte que les Pémalites n'échapperaient pas aux Hurleurs. Nos créateurs tombèrent malades, puis commencèrent à mourir. Les Hurleurs avaient utilisé une arme bactériologique. Les Pémalites étaient condamnés. Mais nous, les Cheys, n'étions pas affectés pas ce virus.

Grâce aux images projetées autour de nous, nous nous serions maintenant cru à l'intérieur d'un vaisseau spatial. On distinguait un Chey jetant un regard désespéré à l'un de ses créateurs qui se tordait de douleur.

– Nous nous sommes alors souvenus d'une planète. D'une planète ressemblant beaucoup à la nôtre, mais très éloignée. Elle ne possédait qu'un seul soleil qui fournissait une lumière pâle, mais elle était recouverte d'arbres, d'herbes et de superbes océans.

– La Terre, s'exclama Cassie.

– La Terre, confirma Erek. Les Pémalites ne l'avaient pas visitée depuis cinquante mille ans et, depuis, tout avait changé. Les bandes de primates errants avaient construit des cités. Ils possédaient des animaux domestiques. Ils cultivaient la terre. Il ne restait plus que six de nos créateurs encore en vie lorsque nous sommes arrivés sur Terre.

L'hologramme disparut et nous pûmes de nouveau voir la grotte telle qu'elle était : un immense parc avec des arbres, de la végétation terrestre et des chiens partout.

– Nous ne pouvions sauver les Pémalites. Ils allaient mourir. Mais nous pouvions essayer de sauver un peu de ce qu'ils avaient été. Nous espérions pouvoir garder leur âme et leur cœur toujours vivants d'une manière ou d'une autre. Nous avons cherché une espèce terrestre capable de recevoir ce qui était l'essence de ce peuple : leur honnêteté, leur gentillesse, leur joie de vivre et leur amour.

– Les loups, devina Cassie, une fois encore avec une longueur d'avance sur moi.

Erek parut surpris, mais son image humaine approuva d'un signe de tête.

– Exact. C'était eux qui ressemblaient le plus aux Pémalites physiquement. Nous avons greffé ces éléments essentiels de l'espèce pémalite dans l'espèce loup. Et de cette union naquirent les chiens. Depuis ce jour, la plupart de ces animaux portent en eux le caractère de nos créateurs. Pas tous, mais la majorité. Et lorsque vous voyez un chien jouer, courir après un bâton, aboyer par simple joie, vous voyez un peu de ce qu'ont été les Pémalites.

– C'est pour cela que tous ces chiens sont là, remarqua Jake. Ils sont... vos amis ? vos créateurs ?

– Ils sont notre joie, corrigea Erek, parce qu'ils nous rappellent un monde où le mal n'existait pas. Le monde que nous avons perdu. Nous autres les Cheys, nous sommes tout ce qu'il reste du génie technologique pémalite. Les chiens sont tout ce qu'il reste de leur âme.

CHAPITRE 17

Je ne pensais pas être capable de croire une histoire pareille. Excepté le fait que nous étions effectivement dans un immense parc souterrain et qu'il y avait des androïdes qui vivaient là.

Mais il est vrai que ma propre vie était devenue une longue et incroyable histoire. Alors de quel droit pouvais-je douter de celle d'Erek ?

– Vous vous faites donc tous passer pour des humains ? demandai-je à Erek.

– Oui, nous vivons comme des humains. Nous jouons d'abord le rôle d'enfant, puis nous grandissons et, éventuellement, notre hologramme en vient à « mourir ». Nous recommençons alors avec l'image d'un autre enfant.

– Et cela dure depuis combien de temps ? voulut savoir Cassie.

Erek fit un grand sourire.

– J'ai participé à la construction des pyramides d'Égypte.

– Tu as conçu les pyramides ?

– Non, bien sûr que non. Nous n'intervenons jamais dans le cours des affaires humaines. J'étais un esclave. J'aidais à transporter les pierres. Ce n'était pas chose facile, car il fallait que je fasse comme si j'étais humain. Je devais dissimuler ma véritable force, bien sûr. Sur la planète natale des Pémalites, la gravité est quatre fois plus forte que sur Terre. Naturellement, nous avons été conçus pour nous adapter à cette gravité, ce qui signifie que nous sommes nettement plus forts que les humains.

– Et vous êtes tous restés des esclaves ? s'étonna Jake. Vous auriez pu prendre le pouvoir en Égypte, prendre le pouvoir de la terre entière.

– Non, nous ne sommes pas les Yirks, remarqua-t-il calmement. Vous savez, quand nos créateurs nous ont conçus, ils nous ont programmés pour que nous soyons des entités non violentes. Nous sommes incapables de faire du mal à une créature vivante. Aucun d'entre nous n'a jamais tué personne.

A cet instant, je remarquai un groupe de quatre Cheys se dirigeant rapidement vers nous.

Erek les remarqua également. Je sais que son visage n'est qu'un hologramme, mais je notai cependant qu'il avait l'air contrarié.

– Qu'as-tu fait ? Qu'as-tu fait espèce de fou ? s'énerva l'un d'eux.

Ils nous jetèrent ensuite des regards furieux avec leurs yeux de robot.

– Des humains ? Un Andalite ? Ici ? Qu'est-ce que tu leur as raconté ?

– Tout, fit Erek d'un ton provoquant. Ces humains et cet Andalite sont les résistants qui combattent les Yirks. Ce sont eux qui ont le pouvoir de morphoser.

Il haussa le ton.

– Ce sont eux qui mènent le combat que nous devrions mener.

– Nous sommes des Cheys, nous ne pouvons combattre, dit l'un des androïdes.

Il activa son hologramme. Une forme humaine apparut. Il s'agissait d'une vieille dame, d'environ quatre-vingts ans.

– Je suis Chey-Ionos. Mon nom humain est Maria. Je ne suis pas en colère après vous, créatures

terrestres, ni après toi mon ami andalite. Mon courroux concerne le Chey nommé Erek et certains de ses amis.

– Nous sommes restés sans rien faire quand les Hurleurs ont exterminé nos créateurs, répliqua Erek. Nous ne pouvons pas rester une nouvelle fois sans réagir et assister, impuissants, à la destruction de ce monde. Les chiens et les humains sont intimement liés. Il s'est établi une relation de dépendance au cours de l'évolution. Les chiens ne peuvent survivre sans la présence des êtres humains. Si les Yirks prennent le contrôle de la terre, nous, dernière création de génie des Pémalites, et les chiens, derniers dépositaires de l'âme pémalite, mourront.

Je jetai un coup d'œil à Jake. Voilà pourquoi les Cheys voulaient aider les humains, à cause des chiens ! Jake remua lentement la tête en signe d'amusement.

– Nous ne combattrons pas, affirma Maria avec détermination. Nous ne pouvons pas tuer. Tu le sais, Erek. Pourtant tu fais venir des étrangers ici. Tu dévoiles des secrets que nous gardons depuis des milliers d'années. Pourquoi ? Qu'est-ce que cela peut apporter de bon ? Nous ne pouvons combattre pour sauver les humains.

– C'est là que tu te trompes, affirma doucement Erek. Nous pouvons combattre. Pendant que vous vous contentiez, toi et les autres, d'espérer que tout se termine bien, mes amis et moi avons infiltré les réseaux yirks sur terre. Ils pensent même que je suis l'un d'eux.

Maria et les trois autres hologrammes cheys étaient pétrifiés.

– Les Yirks étaient très occupés ces derniers temps. Ils ont pris le contrôle d'une compagnie d'informatique appelée Matcom.

Il me fallut quelques secondes pour me souvenir où j'avais déjà entendu ce nom.

Erek continua :

– Les Yirks travaillent sur un ordinateur de recherche pour infiltrer et réécrire tous les logiciels existants sur tous les disques durs du monde. Quand ils estimeront avoir suffisamment d'êtres humains en leur pouvoir, ils lanceront cette bombe informatique et, en un éclair, contrôleront tous les ordinateurs.

– En quoi cela nous concerne-t-il, fit Maria.

– Le cœur du système est un cristal que les Yirks se sont procuré auprès d'un marchand dayang. Le Dayang n'avait pas conscience de ce qu'il possédait réellement.

Les Yirks, eux, le savaient. Ce cristal est un processeur plus sophistiqué que la plus sophistiquée des créations andalites. Et il date de plus de cinquante mille années terrestres.

– Un cristal pémalite ! s'exclama Maria.

– Exact. Et si nous le possédions, nous pourrions réécrire notre propre système interne. Tu comprends maintenant ? Nous pourrions effacer les instructions qui font de nous des êtres non violents. Nous pourrions être libres ! Libres de combattre !

– Un cristal pélamite, murmura Maria. Tu ne peux pas faire ça, Erek. Tu ne peux pas !

Mais Erek se détourna.

– Si nous récupérons le cristal, il y a peu de choses que nous ne pourrions pas faire. Notre force, jointe à celle des Animorphs ! Les Yirks devraient alors doubler leurs forces pour seulement espérer pouvoir nous repousser.

< Comment as-tu réussi à convaincre les Yirks que tu es l'un d'eux ? > s'étonna Ax.

Erek désactiva l'hologramme et reprit sa forme naturelle. Soudain, son crâne se fendit et laissa apparaître une petite cavité de quelques centimètres de diamètre. A l'intérieur de cette cavité se trouvait une limace grise, désemparée, incapable de fuir. Des petits fils, pas plus gros que des cheveux, l'emprisonnaient.

< Yiiirk ! > cria Ax.

– Oui, les Yirks pensent que je suis humain. J'ai accepté de me faire infester mais, bien sûr, ils ne peuvent pas faire de moi un Contrôleur. J'ai réservé une petite prison à celui-ci. Il ne peut rien voir, rien savoir. C'est moi qui aie le contrôle de sa mémoire et non l'inverse. Désormais, je peux passer parmi les Yirks pour l'un des leurs.

J'eus une réaction mitigée. D'un côté, j'étais malade de voir ce Yirk, prisonnier dans sa cage d'acier. Je détestais les Yirks, mais il était difficile d'en voir un souffrir à son tour. D'un autre côté, j'étais complètement excité à l'idée de savoir que nous avions un allié ! Un puissant allié. Un androïde capable de se faire passer pour un Contrôleur, qui pouvait infiltrer la société yirk, et qui possédait de nombreux pouvoirs.

– Et comment fais-tu pour maintenir ce Yirk en vie sans l'exposer aux rayons du Kandrona ? lui fit remarquer Cassie.

En effet, tous les trois jours, les Yirks doivent se baigner dans un bassin pour absorber ces rayons. Sinon, ils meurent.

– Je suis en mesure de me servir de mon propre système interne pour générer des rayons du Kandrona et maintenir ce Yirk en vie, expliqua Erek. Quand je me rends au bassin, j'arrive à tromper leur vigilance afin qu'ils croient que mon Yirk se baigne lui aussi. Je crée un hologramme de limace quittant mon oreille et plongeant dans leur boue. Plus tard, je projette l'image de son retour. Ils ne se sont pas encore étonnés de n'avoir jamais rencontré mon Yirk dans le bassin. Sous leur forme naturelle, les Yirks communiquent très peu entre eux.

– Et qu'est-ce que l'on vient faire dans tout ça ? demanda Jake. Je veux dire, qu'est-ce que tu attends exactement de nous, Erek ?

Il reprit son apparence humaine et s'approcha de nous. Il paraissait dans un grand état d'excitation.

– Nous pourrions combattre les Yirks ensemble. Nous pourrions être alliés, si seulement... Nous avons besoin de ce cristal pémalite. Mais les Yirks ont imaginé une véritable forteresse qui dépasse tout ce que vous pouvez imaginer pour le garder. Le cristal est dans une pièce à l'intérieur des locaux de la société Matcom. Il y a des Hork-Bajirs dans tous les coins. Et pas n'importe lesquels, l'élite des guerriers hork-bajirs, les meilleurs. Et le cristal lui-même est gardé par un ingénieux système. Il est enfermé dans une pièce plongée dans le noir absolu. La moindre source de lumière, qu'elle soit ultraviolette ou infrarouge, déclenche une alarme. En plus, dans cette obscurité sont tendus des fils qui réagissent au moindre contact et déclenchent eux aussi l'alarme.

– Pour récupérer le cristal, il faut donc être capable de se diriger dans le noir absolu et d'éviter des fils invisibles dans cette obscurité, résumai-je.

– C'est à peu près comme retrouver une aiguille dans une botte de foin, tout en étant aveugle et sans avoir le droit de toucher à un seul brin de paille, admit Erek. Sans oublier que les murs, le plafond et le plancher réagissent à la moindre pression, et que l'on ne peut les toucher non plus. Cela paraît impossible à faire.

– En effet, comment pourrions-nous réussir ? remarquai-je. Comment repérer quelque chose que l'on ne peut pas voir ? Ce n'est pas comme si ça avait une odeur ou si ça émettait un son.

– Humm... fit Cassie.

– Pardon ? s'étonna Jake.

– On peut y arriver, déclara-t-elle. Enfin, si on le veut.

– Bien sûr qu'on le veut, m'exclamai-je. Avec eux à nos côtés, nous avons une sacrée chance de gagner. Alors si nous le voulons... Les Animorphs et les Cheys ensemble ? Notre pouvoir d'animorphe plus leur puissance et leur capacité à projeter des hologrammes ! Nous allons mettre la pâtée aux Yirks.

– Non ! cria Maria. Vous ne comprenez pas. Les Cheys ne peuvent pas faire de mal, ils ne peuvent pas tuer. Aucun Chey n'a jamais attaqué qui que ce soit.

Elle agrippa mon bras et me regarda droit dans les yeux.

– Pendant que les humains, les Andalites, les Hork-Bajirs et un million d'autres espèces sur un million d'autres planètes se battaient, tuaient et détruisaient, nous vivions en paix. Voulez-vous que cela cesse ? Voulez-vous faire de nous aussi des tueurs ?

– Ouais m'dame, je crois bien que je veux, déclarai-je froidement. Nous nous battons pour sauver notre peau, celle de nos parents, de nos frères, de nos sœurs, de nos amis. Si nous ne gagnons pas, ils seront tous transformés en esclaves. Je suis prêt à tout faire pour que ça n'arrive pas. Si vous aviez combattu il y a quelques milliers d'années, les Pémalites seraient toujours en vie et vous ne seriez pas obligés de vivre avec des chiens dans une immense niche souterraine.

Je ne fis pas allusion au fait que le Partage s'intéressait désormais à mon père. Je ne voulais pas mettre en avant des raisons personnelles.

Maria ne sut quoi répondre et Erek hocha doucement la tête.

– Une immense niche souterraine, il a tout à fait raison, constata-t-il amèrement.

– Nous irons chercher ce cristal pour vous, décida Jake. Dis-nous tout ce que tu sais à propos de Matcom et nous irons chercher ce cristal.

Il regarda Maria et continua :

– Désolé, mais Marco a raison. Les Yirks tiennent mon frère. Et je ne reculerai devant rien moi non plus pour lui rendre la liberté.

CHAPITRE 18

Nous sommes remontés dans le faux sous-sol, quittant l'inquiétant monde des chiens et des androïdes.

– Bien, nous sommes d'accord alors ? fit Erek. Vous nous aidez à récupérer le cristal pémalite et nous combattrons à vos côtés pour vaincre les Yirks.

– Ça me semble acceptable, dis-je rapidement.

– A moins que quelqu'un n'y voie une objection... commença Jake.

Il fut interrompu par Cassie.

– Erek, laisse-nous réfléchir. C'est une décision importante.

Cette réaction me surprit, mais pas autant que Jake.

A cet instant nous avons entendu un cri résonner juste au-dessus de nous.

– Hhhhrraaaaawwwwwrrrr !

– Oh non, soupirai-je.

Je connaissais ce cri, nous le connaissions tous.

– Rachel, murmura Cassie.

– Cela fait longtemps que nous sommes partis, dit Jake. Erek, je crois qu'un de nos amis vient à notre secours.

Erek haussa les épaules.

– Je ne pense pas que ce soit un problème.

– Tu ne connais pas nos amis, fis-je.

Je me suis précipité dans les escaliers en criant :

– Rachel, du calme !

J'ai couru dans la cuisine, puis dans la salle à manger.

La porte d'entrée avait été arrachée de ses gonds. Le canapé avait été balancé contre un mur. Et là, au milieu de la pièce, se tenait un énorme grizzly, si grand que sa tête touchait le plafond.

– Hhhhrrraaaawwwrrr !

Rachel grognait de rage et de frustration.

De frustration, parce que le Chey qui se faisait passer pour le père d'Erek la maintenait prisonnière. Son hologramme humain entourait de ses bras la masse incroyablement imposante des épaules du grizzly. Il avait réussi à maîtriser l'animal. Il aurait tout aussi bien pu transformer une voiture en boîte de conserve.

– Alors là, j'aurai tout vu, soupirai-je.

< Vous autres, les Cheys, vous êtes effectivement très puissants >, fut obligé de reconnaître Ax.

C'était la réflexion du siècle.

< Où étiez-vous passés ? s'énerva Rachel. Je n'en pouvais plus d'attendre, j'ai cru que vous étiez morts ou je ne sais quoi. Et si vous n'avez pas une bonne explication à me donner, c'est le sort qui vous attend. >

– Ne t'inquiète pas, nous en avons des choses à te raconter, essaya de la calmer Cassie.

La fureur de Rachel retomba un peu et elle arrêta de grogner lorsqu'elle nous vit tous. Le Chey la relâcha progressivement et elle commença à démorphoser.

Jake paraissait gêné et commença à vouloir remettre le canapé en place.

– Hum, Erek, voici notre amie Rachel.

– C'était intelligent de votre part de prévoir des renforts, remarqua Erek.

Puis il s'adressa à Rachel :

– J'espère que vous n'êtes pas blessée.

– Comment pouvez-vous vous défendre contre un grizzly tout en vous disant non violents ? demandai-je.

– Mon « père » savait que ce n'était pas un véritable ours. Et il l'a seulement maîtrisé. Il ne l'a pas détruit. Si Rachel avait été assez forte pour gagner, il n'aurait pas eu d'autre choix que d'accepter d'être détruit.

Je me mis à rire.

– Je comprends mieux pourquoi tu veux que ça change.

Je pensais qu'Erek aussi trouverait cela drôle. Au lieu de ça, il parut un peu triste.

– Oui, dit-il simplement.

Nous sommes partis. Je laissai les autres prendre un peu d'avance et je m'approchai d'Erek.

– Tu sais, je crois que je ne t'ai jamais remercié d'être venu à l'enterrement de ma mère.

Erek regarda autour de lui et pinça ses lèvres.

– Marco... Il y a quelque chose que j'aimerais te dire.

– Je pense que je suis déjà au courant. Ma mère n'est pas morte. Elle est un Contrôleur. Elle est Vysserk Un.

Ce fut au tour d'Erek de paraître impressionné.

– Vous en savez beaucoup vous autres.

Je haussai les épaules.

– C'est pour cette raison que tu es venu à son enterrement, tu savais ?

Erek hocha la tête.

– Je savais, oui. J'aurais même été capable de la sauver si…

Je croisai son regard.

– Il est trop tard pour la sauver. Mais ces foutues limaces risquent de le payer très cher.

Sur le chemin du retour, nous avons tout raconté à Rachel et Tobias. Cela nous a pris du temps. Nous étions arrivés à la ferme de Cassie que nous n'avions toujours pas fini tout ce que nous avions à leur dire.

– On doit tenter le coup, estima Rachel. Ce Chey m'a prise comme si j'étais un bébé, ils sont carrément forts. Ils possèdent des technologies avancées. Ils ont déjà infiltré le Partage. Avec eux, nous doublons nos chances de vaincre. Il n'y a rien à ajouter.

– Si, il y a quelque chose à ajouter, rectifia Cassie en contredisant ainsi sa meilleure amie. De quel droit pouvons-nous intervenir dans le destin de cette espèce pour mettre fin à des milliers d'années de vie pacifique ? N'avez-vous donc pas entendu Maria ? Aucun Chey n'a jamais tué personne. Vous voulez que dans quelques milliers d'années on dise qu'aucun d'entre eux n'avait jamais attaqué personne jusqu'à ce que nous en fassions des tueurs ?

Je tournais autour d'elle, furieux.

– Moi, ce que je ne veux pas qu'on dise dans un millier d'années, en parlant de mon peuple, c'est : « Dommage pour les humains. Ils ont fini aussi tragiquement que les Pémalites. »

– Ax ? fit Jake. On ne t'a pas entendu beaucoup.

Il était dans son animorphe humaine depuis que nous étions entrés à la grange.

– Comme vous le savez, nous autres Andalites nous ne sommes pas censés intervenir dans la vie des autres espèces. J'ai déjà enfreint cette loi avec vous. Et je suis fier de l'avoir fait dans ce cas précis. Mais les Cheys… Chey ! Cela fait un son plutôt drôle vous ne trouvez pas ? Chey.

Il fit un sourire avec sa bouche humaine, puis redevint sérieux.

– Les Cheys sont une race différente, plus ancienne que les Andalites. J'ai du mal à supporter l'idée d'aider une autre espèce à devenir violente.

Ce fut au tour de Rachel d'intervenir :

– Écoute, personne n'aime la violence, d'accord ?

Mais nous n'avons pas demandé à entrer en guerre contre les Yirks. Nous avons été agressés, alors commença la violence, ils ne nous ont pas laissé le choix. C'était combattre ou mourir.

– Combattre ou mourir, approuvai-je. Regarde les Pémalites, ils ne se sont pas battus, ils sont morts. Tous. Il n'en reste pas un. Pas un seul. Une espèce entière anéantie. Maintenant, leur essence, quelle que soit la signification de ce mot, est incarnée par les chiens à qui leurs robots donnent de la pâtée de premier choix. Génial ! Tout va bien pour eux. Et leur sort est encore plus enviable que ne le sera le nôtre si nous perdons contre les Yirks.

– La loi de la jungle, résuma Rachel. Tu manges ou tu es mangé.

< Peut-être que oui, intervint Tobias qui était resté silencieux jusqu'alors. Mais si ce n'était pas la règle à suivre, ne serait-ce pas mieux ? >

– Comment peux-tu dire ça ? demandai-je. Tu es un prédateur. Tu sais mieux que quiconque que ça se passe comme ça.

< Oui, je le sais mieux que quiconque. Ce qui ne signifie pas que je l'approuve. Les Cheys n'ont pas combattu et ils sont morts, c'est vrai. Mais peut-être

auraient-ils perdu même en combattant. Nous ne le saurons jamais. Ils vivent depuis des milliers d'années. Je sais que ce sont des androïdes, mais ils forment pourtant une espèce. Ils ont survécu jusqu'alors sans tuer. Est-ce que quelque part ça ne te fait pas envie ? Ne voudrais-tu pas arriver à faire la même chose ? Ne voudrais-tu pas que les *Homo sapiens* puissent déclarer honnêtement à l'univers tout entier : « Nous ne tuons pas, nous ne réduisons personne en esclavage, nous ne faisons pas la guerre » ?

– Ce n'est pas en mon pouvoir de changer ce genre de choses, remarquai-je. Ce n'est pas moi qui ai commencé cette guerre. Ce ne sont pas les humains. Écoute, je ne veux pas en faire une affaire personnelle, mais j'ai déjà entendu parler de Matcom. Mon père doit effectuer un travail pour eux. Et l'autre jour Tom…

Je lançai un regard à Jake.

– … son frère m'a demandé de venir à une réunion du Partage avec mon père. Le Partage cherche à le recruter et maintenant nous savons pourquoi. Pour moi, les choses sont simples : si nous réussissons à récupérer le cristal, mon père arrêtera certainement de travailler pour Matcom. Et peut-être que les Yirks abandonneront le projet d'en faire un Contrôleur.

Personne ne sut quoi ajouter. Il n'y avait d'ailleurs rien à dire.

Cassie se dirigea vers le fond de la grange et rapporta une petite cage.

– Obscurité totale, impossibilité de toucher les murs, le sol et le plafond, et obligation de pouvoir se diriger dans une pièce sans heurter des fils invisibles tendus un peu partout.

Elle brandit la cage.

– Je vous présente l'animal capable de faire ça.

Ce n'était pas plus gros qu'un petit rat avec des ailes sur le dos.

– Génial ! m'exclamai-je. J'ai déjà été Spiderman, voilà que je vais devenir Batman.

CHAPITRE 19

Je pensais que pour une fois nous aurions le temps d'essayer notre nouvelle animorphe pour nous habituer un peu à être des chauves-souris.

Nous envisagions d'essayer de récupérer le cristal pémalite le week-end prochain. Ce qui nous laissait plein de temps pour nous organiser et nous préparer. Super !

– Marco ? appela mon père alors que j'étais dans ma chambre à essayer désespérément de résoudre un exercice de maths.

– Oui ?

– Téléphone.

– X égale deux fois y divisé par… continuai-je à réciter pour ne pas perdre le fil de mon raisonnement.

Je me dirigeai vers le téléphone qui se trouvait à l'étage, sur le palier.

– X égale deux fois y divisé par… Allô, qui est à l'appareil ?

– Salut Marco, c'est moi Erek.

– Oh Erek, quoi de neuf ?

J'espérais qu'il se souvenait que notre téléphone pouvait être sur écoute.

– Pas grand-chose, répondit-il avec une voix parfaitement humaine. Je pensais juste, tu sais le truc que nous devions faire le week-end prochain. Pourquoi est-ce que nous ne le ferions pas ce soir ?

Je savais ce qu'était ce truc. Et je me doutais qu'Erek ne me demandait pas ça sans raison. Quelque chose avait dû se passer.

Je tentai de masquer mon émotion et ma surprise.

– Ok, je vais appeler Jake et voir s'il est d'accord.

– D'accord, super ! A plus tard.

Je raccrochai le téléphone et envisageai sérieusement de faire comme si je n'avais jamais reçu cet appel. Bien sûr, je savais que l'on devait le faire, que c'était une question de vie ou de mort. Mais c'était vraiment une mission impossible. Et sans préparation, ça devenait plus qu'impossible. Par-dessus tout, j'avais des devoirs à finir.

Je décrochai le téléphone et appelai Jake. Quatre

heures plus tard, alors que nos parents dormaient tranquillement dans leur lit, nous étions tous réunis dans la grange de Cassie, y compris Ax. Erek arriva le dernier.

Il ne perdit pas de temps et entra directement dans le vif du sujet.

– Il y a un problème. Les Yirks ont installé un tout nouveau système de sécurité en plus de celui existant déjà. Je ne crois pas qu'il soit encore activé et je ne sais pas en quoi il consiste.

< Parfait, fit Tobias, attendons quelques semaines pour en savoir plus. >

– Le cristal est déjà si bien protégé que s'ils renforcent la sécurité, ce n'est même plus la peine d'essayer de le récupérer, reprit Erek. Et n'oubliez pas, ils envisagent de l'utiliser pour créer une machine capable de prendre le contrôle de tous les ordinateurs de la planète. Ils ne sont pas encore prêts, mais ça ne saurait tarder…

– Vous savez quoi ? Je le sens mal votre truc, protestai-je. Pas de plan, pas de préparation… Juste foncer dans le tas et espérer que tout se passera bien.

– Je vous apprendrai tout ce que je sais. Écoutez

attentivement, ça ne prendra pas beaucoup de temps, fit Erek.

Nous sommes restés pendant quelques secondes dans l'incertitude totale, ne sachant pas quoi faire. Erek voulait qu'on y aille, évidemment. Mais il avait ses propres intérêts, qui n'étaient pas forcément les mêmes que les nôtres.

La situation était critique. N'importe lequel de nos parents pouvait se réveiller et découvrir que nous n'étions pas dans nos lits. Cela déclencherait une cascade de coups de téléphone aux parents de nos amis et à la police, qui elle-même entamerait certainement des recherches et organiserait des battues dans les bois.

– Alors, on y va ou pas ? demanda Jake.

– On y va, déclara Rachel, pourtant moins enthousiaste que d'habitude.

Beaucoup moins enthousiaste.

– On y va, fis-je également. Mais personnellement je comprendrais si quelqu'un refusait d'y aller.

Cassie me lança un regard mauvais. Je crois qu'elle l'avait pris pour elle.

– On y va, se décida-t-elle, je n'ai jamais refusé d'aller où que ce soit, Marco.

< Ceci ne me concerne pas, fit remarquer Tobias. Je ne vous serai d'aucune aide pour cette mission. Je m'abstiens. >

< J'irai partout où ira prince Jake >, annonça solennellement Ax.

– Ne m'appelle pas prince, répéta Jake pour la millième fois avant d'ajouter : « D'accord, nous y allons ».

Erek commença alors à nous livrer toutes les informations sur Matcom et le système de sécurité protégeant le cristal pémalite. Seulement deux minutes après qu'il eut commencé, je regrettais déjà mon vote.

Mais il était trop tard. Nous avions pris notre décision, et c'était un peu comme si nous nous jetions en canoë dans une immense chute d'eau. Nous n'étions pas sûr d'en sortir vivants. Mais une chose était sûre, nous étions bel et bien emportés par le courant...

CHAPITRE

20

Erek n'est pas venu avec nous. Mais il devait nous attendre dehors quand nous sortirions des bâtiments de Matcom. Si nous en sortions un jour.

Nous avons volé de la grange de Cassie jusqu'au building de l'entreprise. C'était l'un de ces immeubles un peu tristes, faits de ciment et de verre, que vous pouvez voir un peu partout dans les zones industrielles. Juste un amas de fenêtres rectangulaires avec un parking derrière.

En fait, il ressemblait tellement aux autres constructions que nous avons eu du mal à le trouver. Nous avons survolé la zone plus de cinquante minutes – étrange bande de chouettes errantes – avant que Rachel ne repère le logo de Matcom. Nous nous sommes posés sur le toit du building. Erek nous avait assurés qu'il n'y avait ni caméra ni garde là-haut.

– Cherchons vite ce conduit, chuchota Jake dès que nous avons retrouvé notre forme humaine.

Ce qui pour Ax signifiait sa forme d'Andalite.

– Erek a parlé de l'angle sud-ouest, remarquai-je.

– Nord-ouest, rectifia Cassie.

Elle semblait si sûre d'elle-même que je ne contestai pas.

– Oui, tu as raison. Alors où se trouve le nord-ouest ?

Ax se mit à rire en parole mentale en réalisant que nous parlions sérieusement.

< Vous ne pouvez pas reconnaître les directions ? s'étonna-t-il comme s'il découvrait que nous avions nous aussi des queues munies d'une lame cachées dans notre dos. C'est ici. >

Le conduit faisait à peu près huit centimètres de diamètre.

– J'espère que ça va marcher, dis-je, je ne sais même pas si mon copain l'araignée est capable de fabriquer des fils de soie.

– Ta copine l'araignée, rectifia Cassie, ton animorphe d'araignée est une femelle. L'araignée-loup ne tisse pas de toile, mais elle fabrique de la soie. Ça devrait marcher.

– Facile à dire. Je ne sais même pas comment je vais faire ça.

Ax avait déjà morphosé, je me dépêchai d'en faire autant. Nous étions tous les deux en araignées, tandis que les autres se changeaient en cafards.

< Aaah, vous êtes vraiment horribles vus avec des yeux de cafard ! > s'est exclamée Rachel.

< Nous sommes horribles ? Et toi, tu veux savoir à quoi tu ressembles vue d'ici ? A un bon gros dîner, dis-je en partant d'un rire mauvais. Mon appétissant cafard, cette araignée est affamée et tu sembles vraiment délicieux. >

< Hé, Marco, du calme ! Laisse-la dire >, fit Jake.

< Je vais démorphoser et venir te botter les fesses >, grogna Rachel.

De l'endroit où je me trouvais sur le toit du building, le conduit ressemblait à un véritable gratte-ciel. Il dépassait du sol d'environ trente centimètres, mais ça paraît énorme quand on ne mesure qu'un centimètre et demi de haut.

Je me mis à trottiner autour. Une partie avait été recouverte de goudron, ce qui devait nous faciliter les choses pour grimper. Je fis cela facilement pour me retrouver bientôt sur le bord du tuyau.

Je pouvais sentir un souffle d'air provenant de l'intérieur du conduit plongé dans les ténèbres. C'était comme être assis au bord d'un précipice. Il descendait le long de trois étages et d'un sous-sol. Quatre étages en tout. Pour un homme cela représente déjà une sacrée distance, et au moins un millier de kilomètres pour une araignée.

Ax s'approcha de moi.

< Oook, dis-je, c'est là que ça devient amusant. >

Je sollicitai le cerveau de l'araignée, à la recherche du subtil et secret signal qui commanderait la fabrication du fil de soie.

Par bonheur, la bestiole n'était pas exactement Albert Einstein. Elle ne savait faire que deux ou trois choses et, notamment, fabriquer de la soie.

Une espèce de filament blanc sortit de son corps et se colla sur le rebord du conduit.

Ax fit comme moi.

< Eh bien, ce ne doit pas être beau à voir. Tu es prêt, Ax ? >

< Oui. >

< Alors... Yeeeeee- ! HAAAAAHHH ! >

Je me jetai dans le vide et les ténèbres, exactement comme l'aurait fait Spiderman.

Je tombai lentement, toujours plus bas, plus bas, plus bas, en tournant sur moi-même à l'intérieur du conduit. Au-dessus de moi se déroulait un long fil blanc qui ralentissait ma chute. Les yeux de l'insecte n'étaient pas mauvais pour voir dans l'obscurité. Une obscurité relative puisque nous étions éclairés faiblement par la lueur de la lune.

C'est alors que ça commença à devenir drôle. Je prenais appui sur le rebord du conduit et faisais des cabrioles dans les airs. Mon fil s'enroulait autour de celui d'Ax et nous tissions ensemble une étrange toile. Plutôt cool d'un certain côté, jusqu'à ce que je ressente un certain manque…

< Ax, je ne fabrique plus de fil ! >

< Oui, moi non plus. >

< Quelle distance crois-tu que nous avons parcourue ? >

< Aucune idée. >

< Tu peux savoir où se trouve le nord-ouest, mais tu n'es pas capable d'évaluer la distance que nous avons parcourue ? Si ça se trouve, il nous reste encore deux étages à descendre. >

< Je crois que notre plan n'était pas tout à fait infaillible, remarqua Ax avec son habituel sens de la

formule. Mais nous sommes de très petites et très légères créatures, nous devrions survivre à une chute. Les autres aussi dans leur animorphe de cafard. >

< Peut-être, mais le problème est qu'il n'y a qu'un seul moyen de savoir si l'on peut effectivement survivre à ça. C'est de se jeter dans le vide. >

Ax resta silencieux.

< Oh, la vache... >, grognai-je.

Puis je coupai le fil de soie. Je me sentis alors tomber dans les ténèbres, en attendant un atterrissage qui pouvait m'être fatal.

CHAPITRE 21

Ce fut une longue chute.

< Aaaaaaahhhhhhh ! >

< Aaaaaaahhhhhhh ! >

Whap ! Whap ! Nous avons heurté quelque chose de dur. Nous avons rebondi. Nous nous sommes de nouveau cognés.

Plop ! Plop !

< Vous allez bien ? > nous demanda Jake d'en haut.

< Oh oui, je vais parfaitement bien, répondis-je. Je viens de faire une chute de plusieurs kilomètres et de rebondir sur un trampoline d'acier. Que peut-on souhaiter de mieux ? >

< Il fait son petit numéro, commenta calmement Rachel. Il doit bien aller. >

< Vas-y, profites-en Rachel, rigole. On verra si tu riras toujours quand ce sera ton tour. >

Notre plan de départ était qu'Ax et moi tissions un fil que les autres pourraient ensuite utiliser pour descendre. Ils n'avaient donc pas à morphoser en araignée. De toute manière, ça n'aurait pas changé grand-chose.

< Nous descendons, a prévenu Jake. Quand nous arriverons au bout du fil de soie, nous sauterons. Si vous avez survécu, nous survivrons. Rien ne peut tuer un cafard. >

< Pourquoi ne te mettrais-tu pas juste en dessous de moi, Marco ? suggéra Rachel. Tu pourrais amortir ma chute. >

Ax et moi nous sommes rapidement mis à l'abri. Quelques secondes plus tard, après qu'ils eurent atteint le bout du fil…

Plop ! Plop ! Plop ! Trois cafards tombèrent du ciel.

< Où sommes-nous ? > demanda Jake.

< Il fait si noir. Comment savoir ? lui répondis-je. Nous sommes dans un conduit de chauffage je pense. Erek nous a expliqué qu'il était directement relié à la chaudière. En allant vers l'ouest pendant trente mètres puis en descendant, nous traverserons la chaudière, puis nous descendrons encore et nous prendrons sur la droite. Et voilà nous arriverons pile à l'endroit où se

trouve le système de haute sécurité. Et c'est là que les vrais ennuis commencent. >

< Excuse-moi, fit Cassie, tu as bien dit chaudière ? >

< Oui, en effet. >

< Il n'est jamais venu à l'esprit d'aucun d'entre vous qu'elle pouvait se mettre en route ? >

< Pas jusqu'à cet instant >, avouai-je.

< Il ne fait pas très froid dehors >, nous fit remarquer Rachel.

< Bon, j'ai bien réfléchi, on rentre à la maison >, dis-je.

Bien sûr, personne n'a pris ma proposition au sérieux. Nous avons trottiné sur le sol métallique, deux araignées et trois cafards. Nos imposantes mâchoires semblaient faire un bruit terrible en frottant sur le sol. Mais, pour une oreille humaine, cela ne devait pas se remarquer beaucoup.

Plus nous avancions, plus il y avait de poussière sur les rebords du conduit. C'était une sensation étrange, comme de marcher sur des feuilles séchées. Mes huit pattes la balayaient, puis elle partait en tourbillonnant derrière moi. Parfois on aurait dit avancer sur un tapis bien moelleux, alors qu'il ne devait y en avoir que quelques millimètres d'épaisseur.

Tous les trois mètres était posée une immense grille à travers laquelle nous pouvions distinguer les bureaux. Ils étaient faiblement éclairés, juste par la lumière des écrans d'ordinateur mis en veilleuse et par les lampes de secours. Mais cela nous suffisait pour nous diriger à travers les ténèbres du conduit.

Quand soudain...

< Qu'est-ce que c'est que ça ? cria Rachel qui fermait la marche. Hé ! Quelque chose se dirige vers nous ! Je ressens des vibrations ! Quelque chose d'énorme ! >

Elle a foncé. J'ai foncé. Tout le monde s'est mis à foncer.

Je pouvais moi aussi sentir les vibrations à présent. Des pas rapides, un son confus. Et un bruit de raclement, comme une chose qu'on traîne.

Je me mis à courir plus vite encore. Sur ma gauche je vis une autre araignée. Devant, deux cafards presque aussi gros que moi. Rachel était juste derrière moi sur ma droite.

Je ne pouvais pas vraiment tourner la tête et regarder par-dessus mon épaule. Je n'avais pas d'épaule. En fait, je n'avais pas de tête non plus. Je décidai donc de m'arrêter, de tourner sur moi-même et, dans la faible lueur venant des bureaux, je l'ai vu.

Énorme. Vingt fois ma taille ! Une énorme, horrible menace.

< Un rat ! criai-je. C'est un rat ! >

Ce que j'avais entendu racler par terre était sa queue et son abdomen. Il était affamé et il nous poursuivait.

Et malheureusement, il était plus rapide que moi.

< Dépêchez-vous ! Vite ! Il gagne du terrain. >

Nous avons poussé nos corps d'araignée et de cafard au maximum de leur vitesse. Quand on ne mesure que quelques centimètres, ça paraît vraiment rapide, mais en kilomètres par heure, on ne bat pas des records… C'est un exploit si une araignée arrive à dépasser le deux à l'heure.

< Il faut que nous démorphosions ! > ordonna Jake.

< Pas ici ! s'exclama Cassie. Il n'y a pas assez de place. >

< Le prochain conduit, fit Jake. Nous sortirons par le prochain conduit. >

Il fallait que nous parcourions encore environ trois mètres. Je ne pouvais pas me retourner pour voir le rat, mais chaque poil de mon corps d'insecte m'apprenait qu'il n'était que quelques centimètres derrière moi.

Mais il y avait maintenant autre chose qui chatouillait mon corps, comme un courant d'air... C'est alors que j'entendis Jake crier.

< Yaaahhhh ! >

Une seconde plus tard, je me retrouvais à balayer les airs avec mes pattes, comme le Bip-Bip du dessin animé. Je gigotais dans le vide, essayant désespérément de me raccrocher à quelque chose. Et puis je suis tombé.

< Je me souviens, fit calmement Ax, qu'Erek nous avait prévenus que nous devions descendre encore. >

Plop ! Plop ! Plop ! Plop ! Plop !

Nous avons encore heurté le métal et chaque impact provoqua un petit tourbillon de poussière.

< Continuez à courir ! > fit Cassie et, pour une fois, je ne cherchai pas à la contredire.

Boo-Boooum !

Le rat tombait lui aussi ! Il était toujours à notre poursuite ! Heureusement, il fut un peu assommé par sa chute et nous en avons profité pour déguerpir.

Soudain, devant nous, encore une ouverture dans le sol d'acier. Mais elle ne donnait pas sur un vide obscur, plutôt sur une espèce de grande plaine hérissée d'aiguilles en métal trois ou quatre fois plus grandes

que mon corps d'araignée. Chaque aiguille était percée à son sommet. Il y en avait des centaines, toutes parfaitement alignées. Elles dégageaient une odeur infecte que ne connaissait pas l'esprit de l'animal.

Une lueur étrange, vacillante, éclairait cet irréel paysage. Dans cette inquiétante lumière, on aurait dit un sinistre cimetière avec des tombes d'un autre âge. Pour tout dire, c'était carrément effrayant.

< Qu'est-ce que c'est ? > m'inquiétai-je.

< Allons-nous-en, d'accord ? proposa Rachel. Nous ferons du tourisme une autre fois. >

Je ne serais jamais rentré dans cet endroit si le rat n'avait pas été un mètre derrière moi et ne s'était pas rapproché dangereusement. Je n'avais pas besoin de me servir des sens de l'araignée pour deviner qu'il y avait danger. Énorme danger !

Je m'agrippai avec mes pattes au sommet de l'aiguille la plus proche. Puis je passai de l'une à l'autre, prudemment, précautionneusement. Les cafards, eux, progressaient dans la vallée, entre les aiguilles. Incapables de marcher normalement, il fallait qu'ils se tirent mutuellement pour pouvoir avancer.

< Qu'est-ce que c'est que ce truc ? > répétai-je.

< Tu es sûr que tu veux le savoir ? grogna Jake.

Le mieux c'est de sortir d'ici le plus rapidement possible, d'accord ? >

C'est à ce moment-là que j'ai compris, d'après le ton de sa voix.

< Oh non, c'est la chaudière, n'est-ce pas ? Ces aiguilles… Ces trous… Ce sont les brûleurs d'où sort le gaz quand il s'enflamme ! >

< Pas si personne n'allume le chauffage>, remarqua amèrement Rachel.

Au-dessus de moi, je voyais maintenant la source de cette sinistre lueur : la veilleuse, une flamme bleue aussi longue que mon corps d'insecte. Je pouvais sentir la chaleur qu'elle dégageait même si, pour moi, elle semblait aussi haut perché que le plafond d'une cathédrale.

Pas si fou que nous, le rat s'était arrêté à l'entrée de la chaudière. Mais nous ne pouvions plus faire marche arrière, il fallait que nous la traversions. Il ne nous restait plus qu'à espérer que Matcom Corporation ne consommait pas trop de chauffage, ou que quelqu'un ne s'amuserait pas à toucher au thermostat.

Parce que si…

Hiisssssssssssss !

< Du gaz ! >

Il sortit avec la force d'un ouragan du haut des aiguilles. Dans une seconde il allait entrer en contact avec la flamme de la veilleuse et provoquer un gigantesque incendie !

J'ai fui aussi rapidement que j'ai pu. Et j'avais tort. Je pouvais aller plus vite que je ne le croyais. Devant moi, je vis Jake, Rachel et Ax qui fonçaient se mettre à l'abri. Seuls Cassie et moi étions encore à quelques centimètres de la sortie.

< Cours ! Cours ! Cours ! Cours ! Cours ! >

Hiissssssssssssssss !

Et puis… Whoooooooosh !

Fuh-Wwwwuuuuuummmmp !

Le monde entier sembla exploser autour de moi. Un mur de flammes… un ouragan d'air brûlant. Je fus projeté « jambe » par-dessus « tête », effectuant un saut périlleux dans une atmosphère torride.

CHAPITRE 22

Je fus éjecté violemment avant de rebondir une fois encore sur le sol d'acier et de déraper comme une voiture folle. J'ai foncé droit dans Jake, et Cassie est venue me heurter de plein fouet.

< Cassie ! Cassie ! Tu vas bien ? > s'inquiéta Jake.

< Oui, je crois. Mais qui peut savoir avec ce corps de cafard ? >

< Je vais bien, moi aussi, ajoutai-je. Si toutefois ça intéresse quelqu'un. >

< Apparemment, ils aiment avoir des locaux bien chauffés, hein ?> ironisa Rachel.

< Nous avons frôlé la catastrophe, dit Ax. Nous pouvons remercier le rat. S'il ne nous avait pas pourchassés, nous aurions traversé la chaudière au moment même où elle s'est mise en marche. >

Et ça n'aurait pas été beau à voir. Nous aurions été

grillés et nos petits corps se seraient disloqués sous l'effet de la chaleur avant même que nous ayons eu le temps de penser à démorphoser.

< Une grosse masse de matière nommée Marco aurait erré indéfiniment dans l'Espace-Zéro >, grommelai-je.

Je pouvais bien plaisanter, en moi-même je tremblais encore.

Le reste de notre voyage à l'intérieur du conduit de chauffage se déroula sans encombre. Je réfléchissais juste au fait que j'aurais pu y passer. A une seconde près je me retrouvais grillé comme un toast.

< Il y a des murs au-dessus de nous, avertit Jake qui avait pris la tête de notre petit convoi. Non, attendez, ce ne sont pas des murs, ça ressemble à un labyrinthe, comme nous l'avait expliqué Erek. >

Nous nous sommes retrouvés au milieu de creux et de bosses que nous avons contournés. Il s'agissait en fait d'un système conçu pour arrêter la faible lueur qui provenait du conduit. Nous sommes arrivés au bout de cet étrange tunnel. Au-delà, je le savais, se trouvait la pièce sous haute sécurité qui renfermait le cristal pémalite.

Nous étions à quelque deux mètres de hauteur. Il

fallait sauter et ne pas s'éloigner de plus d'un mètre du mur. Le moindre mouvement en direction du centre de la pièce et nous risquions de déclencher les détecteurs de pression installés au sol. Au moins, nous étions maintenant habitués à sauter.

< La prochaine fois j'essayerai de sauter d'un avion. Sans parachute, bien sûr... >, dis-je alors que je me jetais dans le vide.

C'est une expérience plutôt effrayante de sauter dans l'obscurité totale et de ne pas savoir quand on va s'arrêter. On n'a pas vraiment l'impression de tomber, jusqu'au moment où l'on heurte le sol, bien sûr...

< Restons près du mur, nous rappela Jake. Rasons le mur et démorphosons. >

Je me sentis soulagé de retrouver ma forme humaine. Mais mes yeux humains ne m'étaient pas plus utiles que mes yeux d'araignée pour voir dans cette obscurité. La pièce était plus noire que la plus noire des nuits. Pire que d'être enfermé dans un sombre placard. J'avais le sentiment d'avoir été enterré vivant.

– Il y a peut-être six Hork-Bajirs à dix centimètres de moi et je ne peux même pas le savoir, soupirai-je alors que le son de ma voix semblait étouffé par la profondeur des ténèbres.

– Que voilà une pensée réjouissante, remarqua sèchement Rachel.

< Un simple photon peut déclencher l'alarme et, pour cette raison, l'obscurité doit être totale >, expliqua Ax.

– Et d'après Erek, si nous nous éloignons du mur nous nous retrouverons dans un labyrinthe de fils ultrasensibles reliés au système d'alarme. Et nous devons parcourir douze mètres sans toucher à aucun de ces fils. Sans toucher non plus aux murs, au plafond et au plancher.

– Morphosons et nous y verrons plus clair, proposa Cassie. Enfin, voir n'est pas le terme exact, mais vous comprenez ce que je veux dire.

Ce qu'elle voulait dire, c'est que nous allions être capables de nous diriger par écholocalisation, comme lorsque nous avions morphosé en dauphin*. Nous allions émettre des ultrasons que l'oreille humaine ne peut pas entendre. Ces ondes allaient à leur tour rebondir sur tout obstacle solide et nous renvoyer une sorte d'image.

Enfin, c'est ce que nous espérions, car nous

* voir *Le Message* (Animorphs n° 4)

n'avions pas eu le temps de faire l'expérience. Nous allions morphoser sans savoir ce qu'il allait réellement se passer.

– Un jour, nous nous souviendrons de tout ça en rigolant, fis-je. Enfin, si nous vivons assez longtemps pour pouvoir nous souvenir.

Je me concentrai sur la chauve-souris dont nous avions acquis l'ADN. Ces bêtes ne sont pas aussi effrayantes que les gens le disent. En tout cas, ce n'était pas aussi terrible que de morphoser en araignée. Cette espèce de chauve-souris était très petite, juste quelques centimètres de long. Elle ressemblait à un petit rongeur avec d'immenses oreilles et la tête d'un chien pékinois. Si vous lui enlevez les ailes, elle n'est qu'un simple petit mammifère comme les autres.

C'était la première fois que je ne pouvais pas voir l'étrange transformation de mon corps en animal. Je ne pouvais rien voir. Absolument rien. Ni mon corps qui rétrécissait et se rapprochait du sol, ni mes jambes s'atrophier et la fourrure apparaître sur ma peau, ni mes doigts s'allonger, s'affiner, tandis qu'entre chacun d'eux se formait une fine membrane.

Je ne vis rien de tout cela. Je ne sus même pas que l'animorphe était terminée jusqu'à ce que mon cerveau

de chauve-souris me donne l'ordre d'ouvrir la bouche et de pousser un cri.

J'ai émis une série d'ultrasons. On aurait dit une mitraillette sonore qui aurait envoyé des cris très aigus et très rapprochés.

Et puis…

< Whouaaa, ho ! > m'exclamai-je.

La pièce qui, il y avait un instant encore était plongée dans l'obscurité la plus totale, s'éclaira soudain. Je ne voyais pas vraiment, c'était comme… comme ressentir les choses. Sauf que je les ressentais à distance. Je pouvais sentir une pièce immense, sentir un millier de fils tendus du haut en bas, de droite à gauche, formant des angles.

Et au centre de cette pièce, au-delà de ce labyrinthe de fils, je sentis une surface plane et surélevée et une sorte de piédestal. Des spirales de fil partaient de son sommet.

Tout ça m'est apparu dans un flash, puis a disparu.

Les autres à leur tour utilisèrent leur faculté d'écholocalisation, mais je ne pouvais pas « sentir » leur son très clairement.

< Super, s'enthousiasma Rachel, c'est vraiment génial ce truc. >

< Les fils sont horriblement proches les uns des autres, s'inquiéta Cassie. J'aurais préféré que nous ayons eu le temps de tester ces ailes. Nous n'avons plus qu'à espérer que tout se passera bien. A faire confiance à la chauve-souris pour diriger le vol. >

< Fais confiance à la force, Cassie Skywalker >, plaisantai-je.

< D'accord Dark Vador. A toi l'honneur. >

< A moi l'honneur ? Oh… >

Soudain, je n'avais plus du tout envie de plaisanter. Je léchai mes lèvres avec ma petite langue de chauve-souris, à supposer que j'eus une langue. Je n'en étais pas sûr.

J'ai ouvert mes ailes. Je les ai déployées au maximum et j'ai pensé : « En avant pour la grande aventure ! » Je les ai testées prudemment. Elles étaient différentes des ailes d'oiseau. Un peu comme si à chaque battement j'attrapais un peu d'air pour le repousser derrière moi.

< Ok, c'est parti. >

Je tirai une salve d'ultrasons pour l'écholocalisation et je décollai. Je tirai encore, il y avait des fils partout autour de moi !

A gauche !

A gauche encore !

En bas !

Non, en haut !

Droite, gauche, droite, droite, tout droit !

Je n'arrêtais pas de tirer avec ma mitraillette à ultrasons. Et, chaque fois, j'esquivais au millimètre les fils tendus.

C'était complètement dingue ! Tout se passait tellement vite que mon cerveau humain était complètement largué. C'était de l'instantané. Vraiment incroyable ! La rapidité, l'agilité, la vitesse de traitement des informations transmises par l'écholocalisation.

Et soudain, plus de fils, j'avais réussi ! J'étais passé à travers. Je me posai sur la table au centre de la pièce. Ça n'avait pas duré plus de dix secondes, après un vol de folie.

< Oaouah ! C'était digne des montagnes russes ! Hourra ! > m'écriai-je, encore tout étonné d'avoir réussi.

Les autres sont arrivés à leur tour. Je surveillai leur vol en utilisant les flashes de l'écholocalisation. C'était un franc succès.

Tout le monde avait réussi. Et nous n'étions pas peu fiers de l'avoir fait.

< Nous sommes les meilleurs ! > m'exclamai-je.

< Ces chauves-souris sont vraiment les reines du pilotage ! > ajouta Rachel.

< Est-ce le cristal ? > demanda Cassie.

Posé sur un piédestal, il n'était pas plus gros qu'un raisin. Des fils, non des fils sensibles au toucher, mais des fils électriques en spirale, l'entouraient de toutes parts. Le cristal en lui-même n'était attaché à rien. Il était juste posé et n'importe qui pouvait l'attraper.

Il émettait une sorte de bourdonnement. Je sais que cela paraît stupide, mais j'avais comme l'impression qu'il était animé de vie.

< Euh… je vais poser une question stupide, dis-je. Mais comment est-on censé attraper cette chose ? >

Tout le monde garda le silence pendant environ dix secondes.

< Nous n'avons pas de mains >, remarqua Cassie, mettant tout le monde devant l'évidence du problème.

< Nous pouvons le prendre avec notre bouche, proposa Rachel. Les chauves-souris se nourrissent d'insectes et de trucs comme ça, elles doivent avoir de puissantes mâchoires, assez puissantes pour porter ce cristal jusqu'à la conduite de chauffage.>

< Bonne idée, tu as raison, allons-y >, approuva

Jake qui sembla rassuré.

< Je crois que ça ne marchera pas >, fit alors Ax.

< Jake, dit Cassie, si tu as le cristal dans la bouche, comment feras-tu pour émettre les ultrasons qui te permettent de te repérer ? >

A cet instant précis, l'ambiance n'était pas vraiment au beau fixe.

< Je crois que notre plan n'était pas tout à fait infaillible >, constata calmement Ax.

CHAPITRE 23

< Vous voyez, il ne faut jamais être trop sûr de soi, déclara Cassie. C'est une tentation trop forte pour les dieux de l'ironie. >

< Les dieux de l'ironie ? > s'étonna Ax.

< Oui, reprit Cassie, les esprits malins qui te surveillent et attendent que tu sois un peu trop sûr de toi pour te punir. >

< Ils existent vraiment ? >

< Non Ax, bien sûr que non, fit Cassie avec impatience. Bon alors, comment allons-nous sortir ce cristal d'ici ? >

< Forçons le passage ! > proposa Rachel.

Ax vint alors tempérer son enthousiasme.

< Erek nous a expliqué qu'il y avait beaucoup de gardes dans ce bâtiment. >

< Nous n'en avons pas vu beaucoup jusqu'à

présent, dit Jake. Mais Erek est très bien informé, et si il affirme qu'il y a beaucoup de gardes, c'est que ça doit effectivement être le cas. >

< Nous n'avons pas le choix, insista Rachel. Nous morphosons en ce que nous avons de plus gros et de plus méchant, puis nous faisons le ménage jusqu'à la sortie ! >

< Nous parlions justement des dieux de l'ironie >, chuchotai-je.

< Qu'est-ce que tu veux dire par là ? > me demanda Rachel.

< Je veux dire que nous sommes ici pour nous emparer du cristal pémalite qui permettra aux Cheys de pouvoir utiliser la violence. Pour y arriver nous avons préparé des plans subtils, d'une grande finesse, et nous voilà obligés d'agir comme des brutes monstrueuses. >

Jake soupira.

< Rachel a raison, je crois que nous n'avons pas d'autre solution. >

< Je pense qu'il y a une porte par là, dit Cassie. Essayez l'écholocalisation, vous devriez repérer un contour rectangulaire. >

< Exact, fit Jake. Démorphosons et gardons cette

direction en tête. Remorphosons et tenons-nous prêts à défoncer cette porte. Puis recherchons n'importe quel chemin qui nous mènera à la sortie. Ne cherchons pas à nous battre, mais seulement à nous frayer un passage jusqu'à l'extérieur. >

C'était dans ces moments-là que j'appréciais que Jake soit notre « chef ». Nous savions tous ce que nous avions à faire, mais il était bon que quelqu'un le dise. Et j'étais content de ne pas avoir à le faire.

< J'ai comme un mauvais pressentiment >, murmurai-je.

Vous n'avez jamais vu ces vieux films de guerre où l'on voit des soldats débarquer en courant sur une plage ? Vous savez, ils sont dans de petits bateaux secoués par les vagues, prêts à bondir, mitraillette à la main, sur le sable balayé par les rafales ennemies.

Voilà à quoi me faisait penser notre situation. Tout était calme et tranquille, mais dans quelques instants nous allions nous battre pour sauver nos vies. Les choses arriveraient très vite et personne ne savait comment cela finirait. Je démorphosai pour retrouver ma forme humaine, puis je me concentrai sur l'animal que je voulais devenir pour mener ce combat.

L'obscurité était encore totale, et je ne pus voir

mon corps grossir et se couvrir de fourrure. J'ai cependant senti que mes épaules s'élargissaient et se musclaient à en faire pâlir d'envie tous les fans de body-building. Je pouvais ressentir la puissance monter en moi, une puissance qu'aucun être humain ne pourra jamais espérer posséder. C'était agréable de penser que j'étais plus fort que trois, quatre, peut-être même cinq types bien costauds. Mais même le gorille n'est pas invincible.

< Tout le monde est prêt ? > nous demanda Jake.

Il y avait caché là, dans l'obscurité, invisible, assez de puissance réunie pour pouvoir détruire une petite armée. Jake était dans son animorphe de tigre, Cassie était un loup. Rachel avait choisi l'un des rares animaux à être encore plus puissant que mon gorille : un énorme et puissant grizzly adulte. Ax, quant à lui, était... lui-même. Et croyez-moi, si vous aviez déjà vu un Andalite se battre, vous sauriez qu'il n'a pas besoin d'autre chose pour se défendre que de sa queue terminée par une lame.

< Si je suis prêt ? Tu veux dire que j'attends ce moment avec impatience >, dis-je en essayant de ne pas montrer que j'étais en réalité terrorisé.

< Je passe devant >, proposa Rachel.

Et avant que nous ayons eu le temps de réagir…

– Hhhhhhrrrraaaawwwwrrrr !

Rachel partit comme une fusée, me bousculant au passage et me faisant tourner comme une toupie.

Un millième de seconde plus tard…

ScreeEEEEET ! ScreeEEEEET ! ScreeEEEEET !

L'alarme nous déchira les oreilles.

Les autres la suivirent. Je restai un moment en arrière, le temps de trouver le cristal dans l'obscurité. Excepté Ax, j'étais le seul à posséder des mains.

Puis je partis les rejoindre. Je courais à fond dans les ténèbres avec un petit cristal au creux de mon énorme poing.

Rachel arrachait tous les fils de l'alarme sur son passage et je suivais son sillage. Soudain je me cognai dans Ax, bousculai Jake et atterris contre le mur, Blam !

ScreeEEEEET ! ScreeEEEEET ! ScreeEEEEET !

Ka-RRRunch ! Nous avons entendu un bruit énorme, comme si l'on arrachait quelque chose.

De la lumière ! Je voyais de nouveau.

C'était un réel soulagement d'être capable de se servir enfin de ses yeux.

Une faible lumière entrait par la porte. Ou plutôt par ce qu'il restait de la porte, après qu'un grizzly énorme

l'eut heurtée de plein fouet. Elle avait tout simplement volé en éclats. Je vis un éclair orange et noir se déplaçant à une vitesse vertigineuse et avec une grâce infinie. Jake, dans son animorphe de tigre. Cassie-le-loup le suivait. Juste derrière elle, il y avait la seule créature extraterrestre de cette planète.

Nous nous sommes retrouvés dans un couloir.

< A gauche ! > ordonna Jake.

Et nous sommes allés à gauche.

Nous sommes passés devant des portes, nous sommes passés devant des bureaux, des photocopieuses, des fax, des ordinateurs, nous courions sans nous arrêter, Rachel en tête, comme un énorme camion monté sur quatre pattes. Ses grognements se joignaient aux hurlements incessants de l'alarme.

ScreeEEEEET ! ScreeEEEEET ! ScreeEEEEET !

Une porte nous barra le passage. Rachel donna un coup d'épaule et la porte ne fut plus un obstacle. Nous nous sommes retrouvés dans une grande pièce. Un genre d'immense salle de réunion. Des fenêtres ! Je pouvais voir des étoiles briller faiblement à travers le verre teinté.

Nous n'étions plus qu'à quelques mètres de la liberté ! De la vie !

Rien ne nous empêcherait plus de nous enfuir… sauf la vingtaine d'hommes munis d'armes automatiques qui nous faisaient face : des humains-Contrôleurs.

Et derrière une bonne vingtaine de guerriers hork-bajirs.

L'ours de Rachel n'y voyait pas très bien dans cette semi-obscurité.

< Hork-Bajirs ? > fit Rachel.

< Exact >, fis-je.

< Combien ? >

< Trop. Beaucoup trop. >

CHAPITRE 24

ScreeEEEt ! ScreeEEEt ! ScreeEEEt !

L'alarme continuait de hurler. Et puis un bruit bien plus sinistre résonna :

Cha-Klick !

Les humains-Contrôleurs ont armé leurs fusils. S'ils tiraient nous serions balayés avant d'avoir eu le temps de dire ouf ! L'un d'entre eux a avancé d'un pas. Il s'agissait d'une jolie femme d'un certain âge, plutôt bien habillée. Elle avait des cheveux blonds décolorés et aurait très bien pu être ma grand-mère.

– Bien, bien, bien... Les résistants andalites, dit-elle.

Son visage trahissait sa nervosité, mais elle essayait de parler calmement.

– Vous êtes très bons avec moi. Quand je vous livrerai à Vysserk Trois, il me fera progresser de deux grades. Peut-être même de trois.

< Il pourrait tout aussi bien décider de te détruire pour nous avoir laissés filer >, remarqua calmement Ax.

– Vous êtes cernés, vous ne pouvez pas fuir, répliqua brusquement la femme. Je préférerais vous ramener vivants, mais le Vysserk sera aussi content si je ne lui présente que vos cadavres.

Nous l'avons regardée fixement, puis nous avons dirigé nos regards sur les canons des armes automatiques pointés sur nous.

J'ai levé ma main. Entre mes gros doigts de primate se trouvait le cristal pémalite.

La femme pâlit soudain.

– Donne-moi ça !

Je remuai mon énorme tête de gorille de gauche à droite.

– Baissez vos armes, ordonna la femme.

– Quoi ? s'indigna un Contrôleur. Nous les tenons, nous pouvons les descendre !

Le visage de la femme se crispa, mais elle réussit à rester calme.

– Sais-tu ce qu'il se passerait si une balle détruisait le cristal ?

– Mais il n'y a presque aucun risque pour que cela arrive.

Elle sourit d'un air mauvais.

– Ce cristal est plus précieux que le vaisseau Amiral et tout ce qu'il contient.

Puis elle se mit à crier :

– Tu veux tirer ? Eh bien tire, imbécile ! Si jamais tu touches le cristal, tu iras expliquer ça à Vysserk Trois.

Elle se ressaisit tandis que l'homme réfléchissait qu'il n'était pas dans son intérêt d'expliquer quoi que ce soit à Vysserk Trois.

– Tous les humains-Contrôleurs reculent et désarment leur mitraillette, ordonna la femme.

On entendit un bruit métallique et les canons furent dirigés vers le sol. Mais il ne fallait pas se réjouir trop vite. Je connaissais la suite du programme.

La femme me regarda droit dans les yeux et sourit.

– Les Hork-Bajirs en première ligne !

Le prince andalite qui nous a transmis le pouvoir de l'animorphe nous a expliqué que les Hork-Bajirs étaient des êtres pacifiques avant d'être réduits en esclavage par les Yirks. Ils sont tous des Contrôleurs désormais.

Mais il est tout de même difficile de croire qu'ils aient été les gentils garçons de la galaxie. Ce sont les êtres les plus terrifiants que vous pouvez imaginer : plus de deux mètres de haut, et encore, si vous ne comptez pas avec les lames qui coiffent leur horrible tête de serpent. Des lames, ils en ont partout : sur leurs coudes, autour de leurs poignets, sur leurs genoux. Ils ont également des pattes énormes, semblables à celles d'un tyrannosaure, et une fine queue qui se termine par un bouquet d'aiguilles menaçantes.

Ce sont de véritables hachoirs à pattes, coupant comme des rasoirs, rapides comme l'éclair.

J'avais déjà combattu des Hork-Bajirs. J'en comptais vingt. Cela faisait dix de trop pour que nous espérions avoir une petite chance de nous en sortir.

A ce moment-là, derrière les Hork-Bajirs, derrière les humains-Contrôleurs qui s'étaient mis en retrait, à l'extérieur du bâtiment, regardant la scène avec effroi, je vis Erek.

Il était là et ne pouvait pourtant rien faire pour nous aider, témoin de notre impuissance et impuissant lui-même. Je me sentis désespéré. La terreur me submergea. Elle m'emplit tout entier et pénétra au plus profond de moi-même.

Nous allions perdre.

Nous allions mourir.

Et la vie, si dure soit-elle, est toujours tellement plus souhaitable que la mort.

– Attaquez ! dit la femme dans un murmure.

Tous les Hork-Bajirs firent un bond en avant. Ils formaient un mur de lames tranchantes et tourbillonnantes.

Droit devant moi !

Seeeewwww !

Un énorme monstre me frappa et une entaille rouge apparut sur ma poitrine noire !

Je lui donnai un coup de poing et le frappai suffisamment fort pour qu'il s'effondre. Mais un autre lui sauta par-dessus et se rua sur moi. Je lui bloquai le bras mais il réussit à m'atteindre avec son pied.

Je tombai à la renverse. Je regardai vers le bas et vis un trou dans mon estomac.

Un trou ! Je pouvais voir les entrailles du gorille ! Mes entrailles !

< Aaaaah ! > criai-je en parole mentale, tandis que le primate poussait des cris d'agonie.

Le Hork-Bajir me sauta dessus. Je réussis cependant à me retourner et attrapai ses jambes pour les soulever. Il tomba juste à côté de moi. Ma main gauche se posa sur sa gorge et je me mis à serrer avec toute la force qu'il me restait. Il me frappa et me lacéra le bras. Mais je continuai de serrer.

Je me mis à crier quand il fut pris de tremblements et commença à bouger de manière incontrôlée.

Tout autour de moi la bataille faisait rage. Des cris. Des pleurs. Des hurlements d'animaux enragés. Les grognements incompréhensibles des Hork-Bajirs. Même des voix humaines venaient se mêler à cette cacophonie, car les humains-Contrôleurs qui assistaient au spectacle encourageaient les combattants yirks.

Je vis Jake bondir dans les airs et refermer ses mâchoires sur la tête d'un Hork-Bajir.

Je vis Rachel donner un coup de patte et ouvrir le ventre d'une de ces créatures comme on ouvre le ventre d'un poisson.

Je vis Cassie esquiver habilement les coups, mordre et s'échapper de nouveau avec son museau rouge de sang.

Et Ax, qui frappait, frappait, frappait encore, à une vitesse vertigineuse et avec une précision diabolique grâce à sa queue d'Andalite.

Mais nous étions en train de perdre la bataille. Tout serait fini dans quelques secondes. Nous étions perdus.

< Oh mon Dieu ! > cria quelqu'un.

Peut-être était-ce moi, je ne sais pas.

< Au secours ! Au secours ! Venez me libérer ! >

< Attention ! >

< Non ! Noooooon ! >

Toutes ces paroles mentales se confondaient dans un grand cri confus.

Et toujours l'alarme qui hurlait : ScreeeEEEET !

Je sentis que mon étreinte se relâchait autour du cou de mon agresseur. Mais ça n'avait plus vraiment beaucoup d'importance. Je pouvais bien le laisser partir.

Soudain tout devint rouge autour de moi. Rouge et flou.

Je sentis une lame aiguisée me pénétrer dans le cœur. Un autre Hork-Bajir venait de me frapper. Plus rien n'avait d'importance. C'était la fin. La fin...

A travers le voile rouge de ma vision, je distinguais un visage de l'autre côté de la vitre. Erek. Dans la bataille, j'avais dû être projeté près des fenêtres. Erek était à quelques mètres de moi, mais dehors.

Je me rappelai alors que je tenais le cristal dans ma main. Je me mis à ramper. Un Hork-Bajir en furie me donna un violent coup de pied et je fus balancé contre les vitres.

< Oh… non >, soupirai-je.

Je constatai les blessures résultant de cette dernière attaque. J'étais mort. Je sentais mon cerveau s'évanouir lentement.

Je fus bientôt cerné d'humains-Contrôleurs qui me frappèrent avec la crosse de leur fusil.

Avec ce qu'il me restait de force, je brisai une baie vitrée d'un coup de poing.

Je sentis des doigts puissants ouvrir ma main et se saisir du cristal.

Et puis… Plus tard, beaucoup plus tard, quelqu'un me donna une grande gifle.

– Démorphose Marco, démorphose ! Fais-le, vite !

CHAPITRE 25

Lorsque je me suis réveillé, j'étais allongé sur le sol, sur un lit de terre et de feuilles.

Je me suis rapidement assis. J'ai regardé mon corps.

– Humain ! me suis-je exclamé.

J'aurais voulu pousser un cri pour exprimer ma joie d'être de nouveau moi-même. Moi-même et en vie.

Je regardai autour de moi. Jake. Cassie. Rachel. Ax. Tous là ! Tous humains ! Sauf Ax, évidemment.

Tobias était perché dans un arbre au-dessus de nous.

Il y avait aussi quelqu'un d'autre. J'entendais une voix sanglotante.

– Tout va bien Marco ? me demanda Jake.

– Oui, oui. Super bien. Tu sais, je pensais que j'étais mort !

– Tu l'étais. Il t'a envoyé une décharge électrique pour relancer ton cœur.

– Qui ?

Jake tourna la tête en direction de la personne qui sanglotait. C'était Erek, assis par terre, la tête basse.

– Où sommes-nous ? demandai-je.

– Dans un bosquet, pas loin de chez Matcom, enfin de ce qu'il en reste.

– Comment sommes-nous arrivés ici ? Comment avons-nous fait pour nous en sortir ? Nous étions fichus.

Cassie s'approcha et vint s'asseoir près de moi.

– C'est toi qui nous as sauvés en donnant le cristal à Erek. Il s'en est servi. Il a modifié sa programmation et il a… il a…

Elle regarda en direction du bâtiment.

– Il s'est occupé des Hork-Bajirs, continua Rachel. J'ai pu assister un peu à la scène. J'étais encore consciente.

J'avais du mal à comprendre.

– Comment ça, il s'est occupé des Hork-Bajirs ?

< Il les a tous éliminés >, fit Ax.

Je faillis éclater de rire.

– Vous voulez dire qu'Erek a réussi à vaincre une vingtaine de Hork-Bajirs à lui tout seul ?

Mais personne ne semblait avoir envie de rire. Erek s'est arrêté de sangloter. « Qu'est-ce qui pourrait bien faire pleurer un robot ? » me demandai-je.

< Tous les Hork-Bajirs, ajouta Ax. Et tous les humains-Contrôleurs. Tout le monde. >

Je me relevai. Je pouvais voir le building de Matcom. Il n'était qu'à quelques centaines de mètres de là. Il y avait un grand trou dans les vitres de la façade. Je me doutais qu'à l'intérieur le spectacle ne devait pas être beau à voir.

Tout ce que je trouvai à dire était de répéter :

– Tout le monde ?

– Ça ne lui a pris que dix secondes, m'avertit Rachel.

Elle a fermé les yeux, essayant de ne pas se rappeler ce qu'elle avait vu. Mais je pense que ce ne sont pas des choses qu'on oublie facilement. Quand elle les a rouverts, j'y ai vu des larmes. C'est ce qui m'a ramené à la réalité : les larmes de Rachel.

< Ce fut très violent, fit Ax. Très violent et très bref. Il nous a portés jusqu'ici. Il t'a ramené à la vie. Il m'a recousu le bras. >

Je vis une cicatrice sur son bras gauche.

– Il n'a pas dit un mot depuis, expliqua tristement Cassie. Il ne veut parler à aucun d'entre nous.

– Mais il nous a sauvés pourtant, pas vrai ?

– Oui, reprit-elle avec un pâle sourire. Il a sauvé nos vies, mais il a perdu son âme.

Je me suis approché d'Erek, je voulais le remercier. Je voulais lui dire que ce qu'il avait fait était bien. Que les méchants étaient bien les autres. Qu'il avait sauvé ceux qu'il fallait.

Il se leva en me voyant approcher.

– Est-ce que tu vas bien ? lui demandai-je.

Il me regarda avec les yeux de l'hologramme humain. Peut-être avait-il choisi de les faire pleurer, peut-être avait-il choisi de prendre ce regard vide et perdu. Je ne savais pas dans quelle mesure son hologramme humain exprimait ses sentiments d'androïde. Mais l'expression de son visage ne me laissa plus aucun doute.

Non, Erek n'allait pas bien.

– Tu nous as sauvé la vie, Erek, dis-je.

– Comment faites-vous… Comment faites-vous pour vivre avec ces images dans votre mémoire ? me demanda-t-il.

Je savais ce qu'il voulait dire. Vous savez, gagner ou perdre, le bien et le mal, il n'empêche que le souvenir de la violence reste profondément gravé dans votre mémoire. Comme quelque chose de coincé dans votre gorge et que vous ne pouvez pas avaler. Quelque chose comme un grand trou noir qui obscurcit chaque chose et qui ronge toute joie comme un cancer. Une ombre qui habite votre cœur et avec laquelle il faut essayer de vivre malgré tout.

J'ai haussé les épaules.

– Je crois que nous essayons de ne pas trop y penser. Nous essayons et nous oublions. Et, avec le temps, les cauchemars se font moins nombreux.

Erek posa un doigt sur son crâne.

– Androïde, dit-il.

Il fit un sourire amer, désespéré.

– Je ne connais pas l'oubli. Vous comprenez ? Un androïde n'oublie pas.

Je le regardai fixement. Déjà, dans mon esprit humain, le souvenir de cette nuit d'horreur commençait à s'évanouir. Les lames s'abattant de toutes parts, la douleur, la sensation écœurante de ma main se refermant sur le cou du Hork-Bajir… tout cela devenait plus flou.

Que se passerait-il si je n'avais pas cette capacité d'oublier ? Si tous ces événements demeuraient bien vivants ?

Je réalisai pourquoi les Pémalites avaient empêché leurs créatures de tuer. Les Cheys étaient immortels. Et se souvenir pour l'éternité de ce qu'Erek avait fait ce soir…

– Je suis désolé, lui dis-je.

Erek hocha la tête.

– Oui.

Il tendit sa main et l'ouvrit. Je savais ce qu'il allait faire. J'aurais souhaité qu'il ne le fasse pas. Mais je tendis la main à mon tour et je me saisis du cristal pémalite.

– J'ai réactivé mon programme originel, déclara Erek. Nous… Je… Peut-être pourrais-je vous fournir des informations de temps en temps. Mais je ne me battrai plus jamais. Je ne peux pas m'engager dans votre guerre, mes amis.

Il s'éloigna. Nous sommes rentrés chez nous et nous sommes glissés dans nos draps.

Nos parents ne sauraient jamais ce que nous avions vécu.

J'étais au-delà de l'épuisement, mais je ne pouvais

pas dormir. Trop d'images, trop de souvenirs. Et j'avais si peur de faire des cauchemars.

Il y a des choses horribles dans la vie, et je pense qu'un être humain doit savoir les affronter.

J'ai fermé les yeux et me suis égaré dans des cauchemars sans fin.

Et déjà, j'oubliais.

CHAPITRE 26

– Vas-y ! Attrape !

Homer courut à toute allure, soulevant des gerbes de sable tandis que le frisbee lui passait par-dessus la tête.

Accélérant soudain, il le dépassa, sauta, se retourna dans les airs et mordit le disque. Il atterrit au bord de l'eau et se jeta dans les vagues.

– Oui, c'est bien, bon chien ! fit Jake.

– Pas mal, dis-je. Pas aussi bien que le chien qu'on a vu à la télé, mais pas mal.

– Hé, c'était un professionnel, Homer fait juste ça pour le plaisir, il n'est pas entraîné.

Le chien revint en trottinant sur le sable, le frisbee dans la gueule.

C'était une semaine après que nous eûmes livré bataille pour le cristal pémalite. Jake et moi étions sur

la plage. Tobias était là-haut dans le ciel, porté par les thermiques. Je ne sais pas où étaient les autres.

Mes cheveux avaient finalement repoussé. Mais je m'étais habitué à les porter courts maintenant. Alors j'allais garder cette coiffure, rien que pour embêter les autres.

Il n'y avait pas grand monde sur la plage, car il faisait un peu frais pour y rester allongé. Les quelques personnes présentes jouaient avec des cerfs-volants, ramassaient des coquillages et s'amusaient avec leur chien.

Jake s'agenouilla et essaya de reprendre le frisbee à Homer. Mais Homer, comme l'aurait fait n'importe quel chien, refusa de le lui donner.

– Ils n'ont pas tout compris à ce jeu, remarquai-je. Tu lances, ils attrapent, ils rapportent pour que tu puisses le lancer de nouveau. Ce n'est pourtant pas compliqué.

Jake gratta alors Homer derrière les oreilles et le chien lâcha le frisbee.

– Ne t'inquiète pas, ils ont parfaitement compris, rigola Jake. Pour eux le jeu c'est : je lance, ils attrapent, ils rapportent, ils ont droit à une caresse derrière les oreilles et ils te rendent le frisbee.

Soudain, Homer se désintéressa totalement du jeu. Deux chiens arrivaient en trottant, la queue en l'air. Il partit les rejoindre. Ils se reniflèrent mutuellement en guise de présentation, puis partirent en courant joyeusement, tout excités à l'idée d'aller s'amuser.

Cela me fit sourire de les voir ainsi.

– Ce devait être un endroit agréable.

Jake savait exactement de quoi je voulais parler.

– Oui, une planète où les gens étaient aussi gentils et aussi respectueux que les chiens. Ce devait être vraiment bien.

– J'ai rencontré par hasard Erek au supermarché hier. Je crois que ce n'était pas vraiment une coïncidence et qu'il avait cherché un endroit où me rencontrer « accidentellement ». Enfin, peu importe. Il m'a donné un numéro de téléphone. Il m'a affirmé que l'on pouvait l'appeler en toute tranquillité. Que les Yirks ne pouvaient absolument pas mettre cette ligne sur écoute.

– Ah bon ? Et alors ?

Je haussai les épaules.

– Alors il m'a dit que si jamais on avait besoin de lui, on pouvait lui laisser un message. Et, s'il a quelque chose à nous dire, lui peut nous laisser un message.

– Hum… grogna Jake. Tu crois que l'on doit attendre quelque chose de lui.

– Je ne sais pas, avouai-je. Mais je crois que les Cheys vont continuer à combattre les Yirks. Ils vont juste le faire à leur manière.

Je fouillai dans ma poche et en sorti un petit morceau de cristal.

– J'ai toujours ce truc. Mais je ne sais vraiment pas quoi en faire. Erek n'a même pas voulu qu'on en parle. Et c'est pourtant l'ordinateur le plus puissant jamais créé. Il peut réécrire le programme des Cheys, il peut prendre le contrôle de tous les ordinateurs de la terre. Le cristal pémalite. Nous avons failli mourir pour le récupérer. Qu'est-ce que je peux bien en faire ?

Jake et moi sommes restés immobiles à contempler la chose la plus puissante qu'un humain ait jamais tenue dans sa main.

Soudain nous avons réalisé que nous n'étions pas seuls.

Homer et les deux autres chiens étaient assis devant nous et nous regardaient fixement. Je sais que ça va paraître stupide, mais je jure que j'ai vu comme une lueur complice dans leurs yeux rieurs.

Ils nous regardaient et nous les regardions.

J'ai ouvert ma main pour montrer le cristal aux chiens. Homer le mordilla comme s'il s'agissait d'un biscuit. Mais il ne l'avala pas, il le tenait juste dans sa gueule, où il brillait comme un diamant.

Les trois chiens firent demi-tour et coururent vers la mer. Ils sautèrent dans les vagues et nagèrent quelques mètres vers le large.

Puis ils revinrent sur le rivage et s'ébrouèrent comme des fous en aspergeant au passage deux vieilles dames qui ramassaient des coquillages.

Un jour peut-être, le cristal pémalite viendrait s'échouer sur une plage, quelque part. D'ici là, peut-être serons-nous devenus un peuple aussi sage que celui qui l'a créé.

– Homer, appela Jake.

Il lança le frisbee. Et les trois chiens, heureux, tout fous, toujours prêts à s'amuser, coururent le chercher.

L'aventure continue...

Ils sont parmi nous !
Ne Les laissez pas vous contrôler, lisez...

Le secret

Animorphs n°9

Et découvrez dès maintenant
ce qui vous attend !

« Il n'y avait pas de lumière. Pas du tout. Mais ça n'avait pas d'importance, car j'étais aveugle. J'étais aveugle, mais je n'étais pas perdue.

« Mais qu'est-ce que je fais ? » a demandé une voix étrangère. Je l'ai ignorée. « Non ! » a crié la voix.

J'avais déjà entendu cette voix. Mais elle venait de très loin et s'exprimait dans une langue que je ne comprenais pas. « Non ! Non ! Non ! Laissez-moi partir ! »

Je me suis sentie prise d'une espèce de nausée. Pourtant, j'ai continué de foncer le long du tunnel, tournant par ici, tournant par là. En avançant constamment vers un but. Il y avait une odeur très forte. De plus en plus forte. Je me dirigeais vers elle. Il fallait que je la rejoigne.

« Non ! Laissez-moi partir ! Laissez-moi partir ! »

Je descendais le long des tunnels noirs. Je traversais les flots d'ouvrières pressées d'aller travailler. J'allais vers le centre. Le noyau. Le cœur.

« Au secours ! Au secours ! » hurlait la voix.

La voix... ma voix.

La voix frêle, vacillante, de l'être humain nommé Cassie. Moi. Moi !

< Ahhhhhhhh ! >

Brusquement, j'étais de nouveau Cassie. Je connaissais mon nom. Je savais qui j'étais.

Mais cela n'avait plus d'importance. Le corps du termite avait échappé à mon contrôle. Une volonté plus forte que la mienne le guidait.

Le termite a soudain débouché dans un grand espace dégagé. Un espace qui ne faisait pas plus de sept ou huit centimètres de diamètre, en réalité. Et qui, pourtant, me faisait l'effet d'un stade couvert.

Tout à coup, j'ai compris qui avait pris le contrôle du cerveau du termite. Je savais qui avait relégué mon esprit humain à l'arrière-plan.

Elle était immense. D'une taille qui défiait l'imagination. A une extrémité, j'ai perçu une tête et des pattes avant inutiles, qui s'agitaient dans l'air. De cette petite tête et de ce petit corps partait une poche monstrueuse et palpitante. Grosse comme un ballon dirigeable.

A l'autre extrémité, il y avait une double rangée d'œufs visqueux et collants, qui attendaient d'être emportés par les ouvrières.

La reine.

J'étais dans la chambre de la reine des termites. 

Ils sont parmi nous !
Ne Les laissez pas vous contrôler, lisez...

L'extraterrestre

Animorphs n°8

Et découvrez dès maintenant
ce qui vous attend !

« – Aaaaahhhhhh ! hurlait le professeur en se griffant la tête.

Un des humains a crié :

– Qu'est-ce qui se passe ? Qu'est-ce qui se passe ?

Un autre est sorti en courant dans le couloir pour chercher de l'aide :

– Au secours ! Au secours !

Prince Jake et moi étions assis au fond de la salle, l'un à côté de l'autre, immobiles.

– Arrête d'abîmer notre corps ! s'est exclamé M. Pardue.

Puis, comme s'il se répondait à lui-même, il a ajouté d'une voix pâteuse :

– Sors de ma tête ! Sors de ma tête ! Tu es foutu !

Prince Jake a croisé mon regard. Nous savions tous les deux ce qui était en train de se passer.

– Ça en fait deux, a murmuré prince Jake. Deux que nous voyons. Il y a un problème... ils ont un problème.

M. Pardue s'est mis à pleurer. Et à jurer. Sans cesser de se tordre sur le sol, avec tous les autres humains debout autour de lui qui le regardaient, impuissants et horrifiés.

– Savais-tu que cet humain était un Contrôleur ? ai-je demandé à prince Jake, en essayant de parler très bas.

– Non. Il m'a toujours fait l'effet d'un type sympa. Je ne peux pas rester là à regarder sans rien faire !

– Sors de moi ! a encore hurlé M. Pardue.

Le Yirk qui était dans la tête du professeur faiblissait. Il dépérissait par manque de rayons du Kandrona. Et l'hôte, le véritable M. Pardue, luttait pour reprendre le contrôle.

Tout à coup, prince Jake s'est levé et il a couru vers le professeur. Je me suis précipité derrière lui. J'ai essayé de l'attraper par le bras, mais il a été trop rapide.

– Prince Jake ! l'ai-je appelé sèchement.

Il m'a ignoré.

Prince Jake s'est agenouillé auprès du professeur, qui saignait de la tête.

– Je sais ce que c'est, a-t-il murmuré, je sais ce que c'est, monsieur Pardue. Tenez bon. Le Yirk va mourir. Vous serez libre. ”

Ils sont parmi nous !
Ne Les laissez pas vous contrôler, lisez...

L'inconnu

Animorphs n°7

Et découvrez dès maintenant
ce qui vous attend !

« L'air s'est entrouvert, et il est apparu.

C'était un humanoïde avec deux bras, deux jambes et une tête là où on s'attend à en trouver une chez un humain. Sa peau était d'un bleu fluorescent, comme une ampoule électrique qu'on aurait peinte et qui continuerait à diffuser de la lumière. Il avait l'air d'un vieillard, mais dégageait une énergie incroyable. Il avait de longs cheveux blancs et des oreilles effilées. Ses yeux étaient des trous noirs qui semblaient remplis d'étoiles.

Il se mit à parler normalement :

– Je suis un Ellimiste, comme votre ami andalite l'avait deviné.

Ax tremblait tellement qu'on aurait dit qu'il allait s'écrouler.

– Rassure-toi, Andalite, poursuivit l'Ellimiste, regarde tes amis humains, ils n'ont pas peur de moi.

< Ils ne savent pas qui tu es >, parvint à dire Ax.

L'Ellimiste sourit.

– Toi non plus. Tout ce que tu connais de moi, ce sont les histoires que ton peuple raconte aux enfants.

– Et si quelqu'un nous disait qui vous êtes réellement, demandai-je.

Je n'étais pas de très bonne humeur. C'était très étrange – et plutôt stressant – d'être entourés d'humains-Contrôleurs, d'Hork-Bajirs et de Taxxons en territoire ennemi. Ils étaient tous figés, mais ça pouvait changer. A dire vrai, j'avais peur. Et quand j'ai peur, je m'énerve.

L'Ellimiste leva les yeux sur moi.

– Je suis au-delà de vos capacités de compréhension.

< Ils sont tout-puissants, expliqua simplement Ax, ils peuvent traverser des années-lumière en une seconde, ils peuvent faire disparaître des mondes entiers, ils peuvent même arrêter le temps. >

– Celui-là n'a pas l'air si puissant, remarqua Marco d'un ton sceptique.

< Ne sois pas idiot, rétorqua Ax, ça n'est pas son corps. Il est… partout à la fois, à l'intérieur de ta tête, à l'intérieur de cette planète, à l'intérieur de ce qui fait l'espace et le temps. > ”

Ils sont parmi nous !
Ne Les laissez pas vous contrôler, lisez...

La capture

Animorphs n°6

Et découvrez dès maintenant
ce qui vous attend !

“ J'ai senti que nous descendions un escalier. J'ai senti des mains qui essayaient de m'attraper et qui glissaient. Et finalement, l'air du dehors...

– Ma... tête... ai-je grogné.

< Mal à la tête ? Pas étonnant, mon pote. >

– Quelque chose... qui ne... va pas... j'arrive pas... à penser...

< T'inquiète pas. Repose-toi. On a la situation en main. Plus ou moins. >

< Incroyable, fit une voix dans ma tête. Est-ce possible ? Des humains ? >

Quelle était cette voix ? D'où venait-elle ?

Marco m'a soulevé et m'a balancé en travers du dos d'un cheval. Cassie.

< Cassie ? Un humain, oui. Et Rachel ? La cousine ? Humaine aussi. >

De la main, j'ai essayé d'écarter la blouse de mon visage. Que se passait-il ? Il y avait une voix à l'intérieur de ma tête…

Nous avons sauté par-dessus une clôture. J'ai volé dans l'air et je me suis violemment écrasé sur le sol.

J'ai ressenti une douleur, mais elle semblait venir de loin. La blouse s'était ouverte. J'ai regardé autour de moi. Des arbres partout. Pas très loin, un cheval aux naseaux fumants.

J'ai vu tout ça, mais d'un regard distant, comme si je le voyais à la télé. Mes yeux bougeaient ; vers la gauche, vers la droite. Ils bougeaient tout seuls. Comme si quelqu'un d'autre orientait mon regard.

Cassie. J'ai essayé de prononcer son nom.

Aucun son n'est sorti de ma bouche.

< Ne lutte pas, Jake, a prévenu une voix dans ma tête. C'est inutile. >

Quoi ? Qui avait dit ça ? Qu'est-ce qui…?

Soudain, un rire que moi seul pouvais entendre.

< Fais marcher ton cerveau primitif d'humain, Jake. Jake l'Animorph, a ricané la voix. Jake, le serviteur de la pourriture andalite ! >

Alors j'ai compris.

J'ai compris ce qu'était la voix.

Un Yirk !

Un Yirk dans ma propre tête !

J'étais un Contrôleur.